어설프고 어쭙잖은, 그러면서도 애틋한,

발 행 | 2024년 2월 13일
저 자 | 김성화
펴낸이 | 한건희
펴낸곳 | 주식회사 부크크
출판사등록 | 2014.07.15.(제2014-16호)
주 소 | 서울특별시 금천구 가산디지털1로 119
　　　　　　SK트윈타워 A동 305호
전 화 | 1670-8316
이메일 | info@bookk.co.kr

ISBN | 979-11-410-7155-4

www.bookk.co.kr

어설프고 어쭙잖은,
그러면서도
애틋한,

김성화 시와 산문집

책머리에

지금까지
30여 페이지 12권짜리 빈 스케치북
칠십 수권에
꼬박꼬박 그렸던 그림
그럴싸하려니 했는데,
한숨만 나온다.

또다시
페이지 수를 알 수 없는
새 스케치북을
받아 든 오늘,

남은 물감
색 바래고 구색 맞지 않지만
뭔가 그려야 할 바엔
칠십 수년 그렸던 것과 다른
근사한 거 그릴 꿈 꾼다.

2024년 새날에

차례

용두목 돌아 나갈 적에
기적 울리며 검은 연기 내뿜던
완행열차,

12시간도 더 걸려
서울역에
나를 내려줬는데,

솔밭 강변에서 바라본 경부선 철교와 그 너머 반티산

지금의 KTX,
2시간 30분 만에
고향 역에
나를 내려 준다.

그럼에도,
쉽사리 못 가는 고향

목욕탕 풍경

 외박을 나왔으나 마땅히 갈 곳이 없었다.
서울에서 대학 다니는 친구가 집에 없음에도 곧잘 들
락거렸던 친구 집에 가는 게 서먹해서 입대하기 전
자주 드나들었던 다방에서 시간을 때우기도 했지만,
그날은 발길이 나도 모르게 기차역으로 향했다.

 1시간 남짓이면 고향으로 갈 수 있다는 생각을 아
까부터 하고 있었던 게 은연중에 행동하게 된 것이었
다.

 고향에는 좋은 추억만 남은 것이 아니고 기억하기
싫은 추억도 곳곳에 엎드려 있어서 기분 좋게 갈 곳
이 아니었으면서도, 역에 내리는 순간 괜히 가슴이
설레었다.

 천천히 걸어가도 20분 정도면 갈 수 있는 옛날 살
았던 동네보다 '둑 너머 솔밭'으로 가보고 싶었다.

 추석을 열흘 정도 앞둔 가을날은 걷기에 부담 없어
서 천천히 신작로를 따라 역전 동네를 두리번거리며
둘러보며 지나온 후 다리를 건너지 않고 둑길 따라
'용두목' 쪽으로 방향을 바꾸었다.

수량(水量)이 줄어든 강물 위에 내려앉은 햇볕이 천천히 흘러가는 물결 따라 찰랑거렸다.

강 건너 둔치의 오래된 솔밭 사이로 바람이 지나갈 때마다 소나무 가지들이 흔들리고 있었다.

철 지난 보트장의 모래사장엔 사람의 흔적 대신 간간이 바람에 떠밀려 온 물여울만 찰방거렸다.

발길을 바꿔 '둑 너머 솔밭'으로 넘어갔다.

어린 시절의 추억이 가장 많이 남은 곳이라 그런지 언제 와도 정겹고 가슴 설레는 곳이다.

솔밭을 벗어나며 둑 너머 회색 지붕을 흘끗 바라보는 것만으로 가슴이 설레더니 빠른 걸음으로 둑 위에 올라서서 모교의 모습을 보는 순간 코끝이 찡해오고 눈시울이 젖었다.

추회(追懷)에 젖어 혼자 궁상을 떠는 모습을 누가 볼세라 감정을 추스르고 강물에 드리워 얼른대는 영남루의 모습을 가슴에 담으며 다리를 건넜다.

기억을 더듬으며 행여 남았을지 모르는 옛 모습을 찾으며 시장통을 건너지르고 나니 갈 곳이 막연했다.

한 반이었던 친구 집 앞의 사거리에서 머뭇거리며 이리저리 둘러보다가 목욕탕이 눈에 뜨였다.

뜬금없이 목욕하고 싶다는 생각이 들어서 주저하지 않고 목욕탕으로 들어갔다.

평일 정오가 막 지난 시간의 목욕탕은 한가했다.

얼른 봐도 회갑 지난 지 오래됐을 노인 한 분만이 탕 안에 있을 뿐이었다.

샤워하고 탕 안으로 들어가면서 노인에게 가볍게 목례하며 다시 봐도 연세가 지긋한 걸 알 수 있었다,

더운물 속에서 잠시 머무는 사이 누군가가 새로운 손님이 들어 왔다.

구부정한 자세로 들어와 샤워기 앞에 붙어서는 사람의 생김새는 얼른 봐도 노인이었다.

내 앞에 있던 노인이 고개를 갸웃대며 샤워하는 노인을 주시하고 있었다.

이윽고 샤워를 끝낸 노인이 우리 쪽으로 오더니 먼저 와 있던 노인 앞에 멈춰 섰다.

먼저 와 있던 노인이 미간을 좁히고 눈을 가늘게 좁힌 후 서 있는 노인을 올려보며 말했고 구부정한 자세로 선 노인이 내려보며 대답했다.

이기 누고?
아직 살아 있었더나?

죽는 기 생각대로 되마 뭔 걱정,
그라는 니도 여태 살아있었네

그러게, 오그라붙은 그 거하며
쪼글거리는 상판대기 보니 영락없는 귀신이네

문디이 같은 놈,
니 꼬라지는 안 그런 줄 아나?

<u>ㅎㅎㅎ</u>
저승 가기 전에 탁배기나 한잔하자

그라자
죽기 전에 한잔하자

(목욕탕 풍경 전문)

 40년도 더 오래전 군대 생활할 때 외박 나와서 들른 고향의 목욕탕에서 보고 들은 기억이 떠올랐다.
 지금 내 나이가 그때 목욕탕에서 만났던 두 노인과 비슷하거나 더 많을 것이다.

고향에 들러 목욕탕에 가게 된다면 그때 그 노인들처럼 친구를 만나 스스럼없는 대화를 나눌 수 있을지?

 설날 앞두고 고향 생각이 났고 친구 생각이 나서 옛기억을 더듬었다.

註 ; 용두목-밀양시 가곡동에 소재한 유원지.밀양강(남천강)
    이 만들어낸 절벽 지형으로 용의 머리를 닮아 용두목
    으로 불린다.

정월 대보름

고향 친구
귀밝이 한잔하자고 전화했다

떠나온 고향 생각
한잔 술로 달래질까?

아서라
먹을 만큼 먹은 나이
귀 밝아 무슨 소용

떡 본 김에

가끔 만나는 고향 친구가 전화했다.

정월 대보름이면 귀밝이술을 마신다는 풍습을 알고 있으니 그냥 넘기기가 서운했던 모양이다.

술자리 마련하려는 핑곗거리치고는 제격이어서 맞장 구치지 않을 수 없다.

떡 본 김에 제사 지내려고 하나, 둘, 모인 친구가 여럿이다.

수인사 끝내기 무섭게, 술 한 잔 털어 넣고 안주 한 점을 우물거리고 나면 으레껏 건강 이야기가 나오고 뒤따라 소식 뜸한 다른 친구들 안부를 주고받는다

술이 두어 순배 돌고 나면 의도하지 않았던 고향 이 야기로 가지가 뻗어난다.

누군가가 꺼낸 어린 시절의 소소한 추억에 잊고 있 었던 어느 날이 불현듯 떠오르고 연이어 비슷한 단상 들이 줄줄이 따라 나온다.

호롱불 심지를 돋워 불을 밝히듯 친구의 맞장구에 고구마 뿌리처럼 까마득한 옛날이 주렁주렁 딸려 나 오는 고향 이야기는 어떤 안줏거리보다 맛나고 푸짐 하다.

수십 년의 세월을 마음대로 넘나들며 헤집을수록 끝 없이 이어질 것 같던 추억은 누군가가 불쑥 꺼낸 현

실적인 이야기에 툭! 맥이 끊어지고, 기어이 정치 이야기로 불이 옮겨붙는다.

　사실, 고향 이야기는 더는 새로울 게 없고, 정치도 우리가 열 올린다고 해서 판이 바뀔 리 만무하지만, 돌아가는 판세가 마음에 들지 않으니 화풀이 겸 불만도 털어놓고, 위정자들이 들어줄 리 만무한 소견을 쏟아내다 보면, 제 의견에 동의하지 않는 다른 친구를 윽박지르고 마는 불상사가 생기기도 하는 것이다.

　내 의견에 반대했던 친구의 시선을 피하는 것도 잠깐, 건너편 친구가 건넨 술 한잔 마시고 나면 이내 불편했던 마음이 가시고 다음 만날 날을 기약한다.

소식

벌초하러 고향 선산 갔다 온 친구
서운하고 서글픈
고향 소식 알려줬다

"태수 죽은 건 알고 있었는데,
엄 동철,
씨름 잘했던 글마도
올봄에 죽었다더라"

졸업 앨범 속
육십 명 넘었던 까까머리
1분단쯤 줄어든 것 같다.

고향 소식

고향 떠난 지 꽤 오랜 세월이 흘렀다.

그냥 고향에 머물러 있었더라도 동기들과 자주 만나고 친하게 지내지는 않았을 터지만, 한 반이었던 동기는 물론, 옆 골목, 이웃에 살았던 동기의 이름도 가물가물할 만큼 세월이 흘렀다.

더구나 자주 고향에 가볼 형편이 아니어서 최근에 고향에 다녀온 게 언제였던가 하고 따져보니 15년도 더 전에 초등학교 동창 모임에 참가하려고 잠깐 다녀온 게 마지막이었던 것 같다.

그때 만났던 몇몇 동기의 모습이 너무 생소해서 상대가 같은 반이었든지, 이름도 아슴푸레 기억나지 않아서 서먹하더니 소주잔이 몇 순배 돌고 난 뒤에야 겨우 말문이 터지고 과거를 공유할 수 있었다.

모임의 분위기에 휩싸여 다음 모임에도 참석하리라고 마음먹었지만, 그 다짐은 어이없이 깨어지고 여태 벼르기만 하고 있다.

타향살이하면서도, 고향에 연고가 있는 몇 친구는 자주 고향을 찾고 있다.

드물지만 부모가 살아계시거나 형제가 고향을 지키고 있어서 명절이나 무슨 때가 되면 어김없이 고향으로 달려가는 걸 보면 부러운 마음이 든다.

세월이 흐른 그만큼 교통도 발달하여 옛날 상경할 때 12시간도 더 걸려 달려온 거리를 지금은 2시간 남짓이면 고향 역에 도착할 수 있으니, 마음만 먹으면 고향 가는 길이 결코 어려운 게 아닌 걸 알면서도 쉽사리 고향에 가지 못하는 사정이 안타깝다.

고향에 다녀온 친구는 모임에서 최근의 고향 소식을 알려줬다.

읍내 번화가인 옛날 버스 종점 근처에 살았던 누가 세상을 떠났다더라는 이야기며, 출세한 아들 녀석이 해외여행을 보내준 바람에 이번에는 만나지 못했다거나 따위, 누구의 가정사까지 들먹이는 사이, 고향 땅을 가로질러 흐르는 남천 강의 잔물결에 그림자를 드리운 영남루의 모습이 떠오르더니, 대숲을 휘저은 바람 한 줄기 강을 건너 물수제비 뛰듯 둑을 넘어 모교 교정을 맴돌다가 우리 교실, 옛날 내 자리, 창가 책상 위에 추억을 쏟아 놓는다.

둑 너머 솔밭 강

은어가 돌아오지 않는다는
솔밭 강
폭 좁아지고
물길만 틀어진 줄 알았더니
징거미도 보이지 않는다

돌아오지 않거나
보이지 않는 게
어찌 그뿐이랴

둑 위로 회색 지붕 내민 학교
51회 졸업생
6학년 2반 60여 명 우리 반 애 중
대여섯도 더 자취 감춘 지 오래다

세월 욱여 실은 기차
번갈아 지날 적마다
교각 잠긴 웅덩이에 여울지는 그리움

잎 마른 패랭이 외줄기 꽃대
용두목 돌아 나온 바람에 흔들린다

고향 이야기

고향에 관한 한
지금 일어나는 건 아무것도 모르지만
옛날 거는 다 아는 줄 알았더니,

기껏 알고 있었던 게
병길이는 병규였고
팔용이는 칠용이가 본 이름이라는 것 정도였다

맘산은 마음 산이 제대로 된 지명이고
선불은 섬벌
구순은 구서원
반티산은 산성산이란 것도 몰랐으면서
고향에 관한 건 다 안다고 했다

법원 앞 돼지국밥집 주인은 한글도 몰랐다는 것과
심인당 뒤 칠판 공장 사장은 피난 왔던 사람이었던
건 아는데
꼬꾸랑 방우에서 헤엄쳐 강 건넜던 우리 반 애가 누
구였는지
영남루 난간 아래 대나무가 언제 꽃 피웠던지
배따리 다리 길이가 몇 m 인지는 지금도 모른다

아, 아는 것 하나 더 있다
삼문동 일류 식당 홀아비 주방장
중학교 근처 옛날 비행장 끈티이 화장터에
퍼져 앉아 울었던 날
종달새 울던 늦봄
대국밀 베던 날이었다

註 : 구서원 (舊書院) : 덕성 서원이 있었던 동네. 밀양시
　　활성2동 (리더스 CC근처)
　　심인당(心印堂) : 한국불교 27개 종단 중의 하나인 진
　　각종(眞覺宗)에 소속된 사찰.
　　꼬꾸랑 :'꼬부랑'의방언 (경남)
　　방우: '바위'의 방언(강원, 경상, 평안).
　　배따리: 배다리의 경상도 발음. 배를 일정한 간격으로
　　늘어놓고 그 위에 판재를 건너질러 만든 부교(浮橋).
　　끈티이 :'끝'의 방언(경상).
　　대국밀 :'귀리'의 방언(경남).

보리누름

뜬금없이 '보리누름'이라는 말이 떠올랐다.

어렸을 적에 사용했던 말 중 지금은 까마득하게 잊고 있는 말이 한두 개일까 마는 어쩌다 불쑥 떠오르는 말이 있다.

지금도 보리누름하고는 전혀 상관없는 다른 무엇을 생각하던 중이었는데 뜬금없이, 아니 '각중에' 이 말이 생각났다.

아니다,

각중에 생각이 난 것이 아니고, 보리누름과 관련된 무언가를 생각하던 중에,

아니, 생각보다 기억하던 중에 떠올랐다고 하는 게 맞겠다.

그 기억의 꼬리에 꼬리를 쫓아 올라가다가 보리누름이라는 말과 맞닥뜨린 걸 잠시 지나쳤다가 다시 떠올린 것일 거다.

'이전의 인상이나 경험을 의식 속에 간직하거나 도로 생각해내는 것'이라고 '기억'의 뜻을 사전에서 풀이해 놓았다.

여기서 '이전'이라는 말은 내가 태어난 이후 지금까지의 시간을 말하는 것일 테고, '인상이나 경험'은 살

아오면서 보고 느꼈던 모든 것, 그러니까 일상의 모든 것일 것이다.

그 모든 것은 '의식 속에 간직'해두려고 모아둔 것이 아니면서도 마치 마음먹고 모아뒀던 듯 시도 때도 없이 '도로 생각해내는 것'이 기억이라는 것이다.

그렇게 어찌어찌하다가 떠오른 기억은 끝이 없고 뒤죽박죽이다.

삼문 들판엔 보리가 익어가고 있었다.

제집 찾는 종달새 한 마리 하늘에 매달린 듯 떠 있었다.

둥지 안의 새끼를 훔치려는 욕심으로 종달새를 쫓던 내 눈길이 강 건너 마암 산으로 옮겨갔다.

무심코 바라본 마암 산 구비 길엔 소문으로만 들었던, 한 번도 본 적 없는 갈가지가 뒷발질로 돌멩이를 차 던지는 환영이 어른거렸다.

겁먹은 시선을 얼른 가곡동 쪽으로 돌렸더니, 둑 위에 줄지어 선 벚나무마다 활짝 분홍색 꽃이 무더기로 피어있는 광경이 눈에 들어왔다.

이렇듯 어쭙잖게 보리누름이라는 낱말 하나로 내가 살았던 고향 집 근처의 풍경을 고스란히 기억해 낼 수 있었다.

소전거리, 종달새, 웅덩이, 마암 산 가는 길녘의 삼
문 들, 마암 산 구비길, 구비길 돌면 보이는 제실, 가
곡동, 아니 역전 동네의 둑길, 둑 위에 줄지어 선 벚
나무……,

오늘 밤엔 잠들기 전에 얼마나 더 많은 사연을 기억
할지,

註:각중에-'갑자기(미처 생각할 겨를도 없이 급히)'의 방언
　　(경남, 충북).
　　갈가지: 개호주(범의 새끼)'의 방언(경남).
　　마암 산 : 경남 밀양시 부북면 전사포리에 소재한 산

삼문동 소식

금의환향錦衣還鄉인지 모르겠으나
나이 들어 귀향한 친구
고향 자랑에 날 새는 줄 모른다

동기 대화방에 심심찮게 올리는 고향 사진
오늘은 오래전 즐겨 뛰놀았던 솔밭 속,
그때는 없었던 정자 바닥에 엎드린 모습 올렸다

소나무 그림자 얼른대는 강 건너 철길 보이고
그 아래 변해버린 물줄기 따라 걷노라니
세월 저편에 망가져 있는 꿈
풋살구 맛으로 떠도는 게 보였다

이천만 원으로 전셋집 얻고
오십만 원으로 한 달 생활한다며
타향살이에 찌든 동기들 유혹하는 소리

'나는 자연인이다'처럼 살고 싶었던
얼토당토않은 꿈 꾼 이후
새로 고민 하나 생겼다

솔밭 강 소식

전원생활의 꿈을 버리지 못하고 있다.

아버지를 모시려 장만했던 시골집에 애착이 생겨 노년에 내려가서 살 생각으로 십수 년 동안 애지중지 손보고 가꾸었으나, 내 집이 될 인연이 아니었는지 처분하고 말았는데, 아쉬움과 더불어 전원생활의 꿈도 접어야 했다,

아니다. 먼지처럼 시골집을 날려버리고 말았지만, 전원생활을 하고 싶다는 꿈은 버리지 못했다.

이따금 산속 외진 곳에서 생활하는 속칭 '자연인'의 모습을 T.V에서 보거나, 계곡물 소리 들리는 호젓한 산자락의 아담한 주택에서 주변에 형형색색의 꽃을 가꾸며 전원생활을 하는 사람의 모습을 보고 나면 부러움으로 잠을 설치기도 한다.

근래에는 낙향한 동기 R이 고향의 모습을 동기 대화방에 자주 올려 향수만 자극하는 게 아니라 전원생활의 욕심을 부추기고 있다.

R은 옛날 모습을 찾을 수 없을 정도로 변해버린 고향의 모습을 세세히 알려주었는데, 그중에는 어렸을 때 즐겨 찾아가서 뛰놀았던 '둑 너머 솔밭' 광경도 볼 수 있었다.

동네 근처 공설운동장 주변에는 꽤 넓은 지역에 송림이 펼쳐져 있는데, 동네를 휘돌아 흐르는 남천 강의 범람을 막기 위해 쌓은 둑 너머 강변 지역의 송림을 '둑 너머 솔밭'이라고 했다.

R은 소나무 사이 공간에 간단한 운동 기구며 앉아서 쉴 수 있는 의자, 평상 따위가 놓인 사진을 보여주었다.

세월이 흐른 만큼 고향의 모습도 바뀌었을 걸 모르지 않지만, 사진 몇 장으로 본 고향의 모습이 너무 바뀌어서 딴 고장의 모습을 보는 듯 생소했지만, 사진을 눈여겨보니 솔밭 강을 가로지른 철교 위를 달리는 기차의 모습이며, 그 건너 슬그머니 구름이 걸터앉은 반티 산은 옛 모습 그대로여서 가슴 설레며 향수에 젖게 했다.

공설 운동장에서 주운 추억

소나무 가지마다 바람 잉잉대는 밤이면
본부석 뒤 솔밭에 엎드린 여자 화장실에서
책 읽는 소리 들린다는 소문 돌았다

임간학교 소나무에 걸린 칠판의 지우다 남은 글자
'우리 집 어머니 어머니 우리 어머니'
국어책 읽는 소리 들렸다고 했다.

해그림자 강물에 씻겨가고 이윽고 떠오른 둥근 달
휘영청, 운동장에 소나무 그림자 물구나무서고
열여덟 살 먹은 겁 없는 고모 자전거 배우던 날

자전거 바퀴 따라 도는 바람 소리
행여 달걀귀신 글자 외는 소린가 쫑긋 귀 기울이다
오금 저려 집에 가자고 고모 닦달한 내 목소리
본부석 빈 벽에 메아리로 돌아와 식겁 먹었던 그날

까맣게 잊고 있었던 추억
땡볕 쏟아지는 빈 운동장에 뒹굴고 있어
누가 알아챌까 봐 얼른 주워들었다

임간학교(林間學校)

집 근처의 공설 운동장은 평소에는 텅 비어있다시피 했다.

일 년에 서너 번 열릴까 말까 한 군민 체육대회 같은 행사가 있을 때는 운동장 가의 관람석을 겸한 돌계단은 물론, 본부석 뒤편이나 모직회사에 잇닿은 곳까지 늘어선 키 큰 소나무 숲속까지 사람들이 자리를 잡고 앉아 체육대회 구경에 빠져있었지만, 평소의 공설 운동장과 그 주위는 한적하다 못해 적막하기까지 했다. 심지어 본부석 뒤편에 있는 공중화장실에는 달걀귀신이 나온다는 소문도 떠돌고 있었기에 초등학교 1~2학년짜리 또래 꼬마 아이는 혼자서 운동장에도, 그 근처의 소나무 숲으로 들어가려면 큰맘 먹고 용기를 내야 했다. 그나마 여름에는 둑 너머 솔밭 강으로 바람을 쐬러 가거나 멱 감으러 가려는 사람이 지나다니기도 했지만, 찬 바람이 몰아치는 한 겨울에는 운동장 입구에 사는 사람이 아니면 아무도 그 근처에 얼씬대지 않았다.

운동장과 수원지 사이에 널찍하게 자리한 소나무들은 수령이 오래되어 키가 크고 굵직했다.

초등학교에 입학하자마자 선생님의 구령에 맞춰 학교 운동장에서 줄 맞춰 걷는 방법을 터득한 우리는 이내 공설 운동장 옆의 소나무 숲에 교실을 만들었다.

선생님은 소나무 둥치에 칠판을 거셨고, 우리는 둑 너머 강변으로 몰려가서 크고 납작한 돌을 주워와서 의자 대신 사용할 자리를 만들었다.

거의 70년 전쯤, 국어 시간에 처음 배운 한글 '우리 집 어머니 어머니 우리 어머니'는 향수(鄕愁)로 남았으며, 소문으로 떠돌았던 공중화장실의 달걀귀신과, 달밤에 자전거 타는 걸 배우던 고모의 모습과 겹쳐 떠오른다.

임간학교의 추억은 공설 운동장을 연상시키는 빽빽이 들어선 소나무 수만큼 많은 추억 중에 일부일 뿐, 계단 대신 2층 본부석 난간에서 밑으로 뛰어내릴 적마다 진급시켜주던 바나나 빵집의 영환이 형이며 병정놀이에 사용할 나무칼 재료를 구하러 수원지 철조망 사이를 들락댔던 일 따위, 열 손가락을 꼽아도 부족할 만큼 추억이 새고도 샜다.

註 :영환이 형 : 피난 와서 운동장 입구 모퉁이 가게에서 몇 년 동안 바나나 모양의 밀가루 빵을 구워 팔았던 가겟집 아들. 어느 날 홀연 사라져 버렸는데, 나보다 서너 살 정도 위였던 그 형의 이름이 이영환이었던 게 기억났다.

안국역 6번 출구

친구를 기다린다
약속 시간보다 30분 먼저 와서,

수예점, 건강 보조 식품점 기웃대다
벽화壁畫 앞에 멈춰 섰다

인사동을 고향이라 여겼던 사람들
그리움, 허전함, 기다림, 안타까움,
168명 저마다 사연 적었다
수줍은 듯, 자랑하듯 펼친 상념想念
그 아래
지하철 수시로 멈췄다가 간다

6번 출구 빠져나오며
의치義齒 내보이며 웃는 친구
168가지 상념보다 더 짙은 향수鄕愁
가슴에 안은 표정
모천母川 떠난 한 마리 은어다

지하철 멈춰 설 때마다
고향의 강물 출렁대고
뒤늦게 모습 보이는 친구

또 다른 인사동의 애환인 양
새로운 벽화로 다가온다.

註: 안국역 6번 출구 벽화 - '풍물+류를 더하다'라는 제목
   의 타일 벽화가 있음. 시민과 예술인 168명이 인사동
   에 대한 그리움과 예찬을 직접 육필로 쓰거나 그려서
   타일로 만들어 벽화로 사용

안국역 벽화(壁畫)

10여 년 전부터 한 달에 한 번 정도, 고향을 떠나 객지 생활하는 초등학교와 중학교의 동기 몇몇이 모임을 하고 있다.

열 명일 때도 있고 여덟 명, 혹은 여섯 명일 때도 있지만, 몇 명이 되었던 만나는 친구들은 모두 반갑기만 하다.

아직 현업에 매달린 친구의 직장과 가까운 동대문 근처 식당에서 자주 모이지만, 빈번히 먹는 음식에 물릴 때쯤이면, 좀 다른 먹을거리가 있는 식당으로 장소를 옮기기도 하는데, 이번에는 인사동으로 장소를 정했다.

식당 근처의 전철 역 입구에 도착했을 때는 약속 시간보다 30분도 더 남아 있었다.

혹시 나보다 먼저 온 친구가 있으려나 두리번거리면서 근처 지하상가 가게에 진열한 상품들을 기웃대며 어슬렁거려도 시간이 남았다.

지하상가 아래층에서 전철 도착하는 소리가 들리고, 출구를 빠져나오는 승객 중에서 행여나 친구의 모습이 보이려나 했지만, 이번 전철에도 친구의 모습은 보이지 않는다.

그렇게 어슬렁거리다가 전에 지나치면서 자세히 보지 못했던 지하도 벽에 붙은 벽화가 생각이 났다.

벽화는, 인사동에서 살았거나 잠시 머물렀던 168명의 사람이 저마다 인사동을 사랑하고 그리워하는 감정을 직접 쓰고 그린 타일을 벽에 붙인 것으로, 인사동을 사랑하는 마음이 잘 드러나 있었다.

하나하나 타일에 새긴 글과 그림을 보면서 우리 고향에도 이와 유사한 벽화가 있으면 좋겠다는 생각이 들었다.

고향 출신 작곡가나 가수의 노래비 못지않게, 유명인이 아니더라도 고향을 그리는 사람, 누구나 애틋한 마음을 표현한 그림이나 글귀를 적은 심정을 벽화로 만드는 과정을 상상하는 사이 새로 도착한 전철에서 내린 승객들 틈에 낯익은 친구의 모습이 보였다.

나를 알아본 친구가 환한 미소를 지었다.

두어 달 전에 갈아 낀 의치가 분명했지만, 어쩌랴, 저렇게 향수(鄕愁)가 가득 담긴 미소진 모습을 액자로 만들어 고향 역 광장에 설치한 벽화 중의 한 장이면 좋겠다는 생각은 친구의 손을 잡을 때까지 떠나지 않았다.

소한

꽃 떨어지고 잎 떨어져
앙상한 배롱나무 가지
밤새 내려 쌓인 눈 위로
바람 지나갔다

박새 한 마리 날아와
가루눈 묻은 날개
추위 털 듯 털어낸다

시린 발 동동대며
옮겨 앉는 가지마다
잠깐 머물며 묻혀 놓는 바람
차라리 외로움이다

입춘_1

오던 봄 멈춰서서 갈까 말까 망설인다
철모르고 쏟아진 함박눈 덮어쓰고
풀죽은 봄까치꽃 여린 꽃대 숨긴다

입춘_2

그저께 내렸던 눈 녹지도 않았건만
시절은 입춘이라 바람이 보드랍다
세상사 참고 살면 웃는 날 오련만

입춘_3

회양목 가지 사이 빈 까치집 외롭더니
오늘은 까치 한 쌍 분주히 나부댄다
춥지만 입춘인 걸 까치라고 모를까

외딴집 살구꽃

달이 바뀐 지 사흘째다.

하루 만에 2월에서 3월로 넘어왔지만, 그 하루는 엄청 길고 다른 느낌이다.

2월은 찬바람과 잔설이 남아 있는 겨울이었고, 3월은 말만으로 훈풍이 불고 꽃잎이 살랑대는 봄이다.

봄을 느꼈으니 눈으로 확인하고 싶어 손바닥만 한 화단을 살펴보았다.

아직은, 아직은 봄이 아닌 듯 겨우내 찬바람에 시달렸던 잡초들의 마른 잎만 엉성하다.

아니, 양지쪽 화단 경계석 틈바구니에서 별꽃이 가냘프나마 하얀 꽃을 피웠고, 민들레도 두어 송이 노란 꽃대를 디밀고 있는 게 보였다.

성급한 사람들에게 봄을 빨리 보여주고 싶었던 모양이다.

머지않아 다투듯 피어날 봄꽃들의 향연을 그리다가, 까마득한 옛날 외갓집 가는 길목에서 무심코 보고 말았던 전경을 기억해 냈다.

강 건너 산성산(우리는 반티산이라고 불렀다.) 끝자락 부엉이 모롱이를 돌아 나오면 외딴집이 있었다.

본 동네와 떨어져 초가 한 채만 동그마니 엎드려 있는 것이 쓸쓸하고 외로워 보였다.

그날,

월연정 아래 깊은 강물은 물결마저 졸음에 빠져 고요했고 그 위로 내려앉은 봄볕은 제멋에 겨워 눈부셨다.

잠시 강을 건너다니는 나룻배도 모래톱에 걸터앉아 있었던 그날,

울도 담도 없는 그 집 앞 한 그루의 살구나무에 무더기무더기 분홍색 꽃이 피어있는 걸 보았다.

영남루 앞 산자락의 벚나무 꽃도 보았고, 가곡동 둑길의 벚꽃도 보았지만, 나는 세상에서 외딴집 앞의 살구나무에 피어있는 꽃보다 황홀하고 현란(絢爛)한 봄꽃을 본 적이 없었다.

넋을 놓고 꽃구경을 하던 중에 그 집에서 나오던 아이가 한 반 아이라는 것을 알았다.

우리 둘은 눈이 마주쳤지만, 나만큼 암되고 숫기가 없었던 그 아이가 서둘러 돌아서 버려 괜히 겸연쩍었던 나는 가던 길을 재촉했다.

기회가 되면 한 번 더 살구꽃 구경을 가리라 마음을 먹었지만, 어느새 헤아리기도 벅찬 세월만 흘렀다.

살구꽃 흐드러지게 폈던 그 외딴집 앞 밤밭을 가로질러 고속도로가 뚫렸고 장시 강엔 큼직한 다리도 놓였다.

다시 찾아간대도 어디가 어딘지 구분조차 못 하게 변해버렸다.

한 발짝의 반의반도 오지 않고 뒷산 오솔길 입구의 팽이 나무 그루터기에 걸터앉아 낮잠을 자고 있을 것 같은 봄을 기다리다 스르르 졸음에 빠져든다.

꿈속에서라도 살구꽃 활짝 핀 그 집 앞에서 서성이고 싶다.

註 : 월연정- 경상남도 밀양시 용평로 330-7(용평동)에 소재. 기묘사화를 예견하여 벼슬을 버리고 낙향한 월연 이태(月淵 李迨) 선생이 중종 20년(1520년)에 세운 정사(亭舍). 백송 나무가 있는 곳으로 유명하다.
장시 강- 밀양강의 일부분 중 월연정 앞의 강을 그 지역에서 일컫는 이름. 강에 다리가 놓이기 전에는 활성리 사람들이 읍내로 가려면 겨울철에는 강폭이 좁은 여울에 섶다리를 놓아 건너다녔으며, 여름철에는 나룻배로 장시 강을 건너다녔다.

또 봄

할머니 홀로 사는
세 나무 걸 외딴집

눈썹달
빈 까치집에 걸려 쉬어갔던 지난 밤

바람 소리 잦아들더니
아기 울음소리 밤새 들렸다

날 밝자 양지바른 토담 밑에서
길고양이 졸고 있다

봄 타령

춘분 지난 지 한참 되었지만, 아직 새싹이 돋지 않아 여전히 벌거숭이인 느티나무 그림자가 비켜서 햇볕 드는 토담 아래 졸고 있는 길고양이, 밤새도록 짝짓기할 상대 쫓아다니느라 기운 빼버려 피곤한지, 홀로 사는 할머니 내다보는 줄 모른다.

강원도 지역에 눈이 많이 내렸다고 했다.
가뭄도 해소되고 무엇보다 근심거리였던 산불 방지에 큰 도움이 된다니 다행이다.
우수 경칩 지나 겨울잠에서 깨어나 기지개를 켜던 개구리한테는 미안하지만,
눈이 내렸기 때문인지 불어오는 바람이 차서 날씨가 봄 날씨 같잖다.
그런데도 봄이 오는 걸 미리 알고 있었던지 좁은 화단에는 잡초들이 고개를 디밀고 있다.
잡초만이 아니다.
옹색한 돌 틈에서 겨울을 견딘 민들레가 어느새 꽃대를 올렸다.
겨울 내도록 어둡고 칙칙한 회백색만 봐왔던 눈에 오랜만에 보는 꽃이 반갑다.
노란색 꽃이라 하기엔 밋밋해서 적당한 말이 없을까 하고 궁리하다가 말장난 같은 표현이 떠올랐다.

연두 연두 실 바람
돌 틈마다 기웃대더니

민들레
노랑 노랑 꽃대 올렸다

갈듯 말듯 겨울, 봄 울듯 말듯

내일 모래
우수 앞두고
새벽부터 흩날리는 눈
쌓이기도 하고
녹아내리기도 한다

약방 골목에선
오던 봄
고개 빼문 채 멈춰 섰고
부동산 골목에선
가던 겨울
멈춰서서 뒤돌아본다

쓸데없는 짓인 줄 알면서
겨울 몇 개나 떠나보냈고
지금 맞이한 봄
몇 번째인지
헤집어보는 객쩍은 오늘

한 포기 잡초

이름이 있는지 모르고 살았다

불러준 적 있었는지
불렀어도
내 이름인 줄 몰랐다

바람 따라온 외진 돌 틈
웅크려 옹색한 잎 피웠고
비 온 다음 날 꽃대 내밀었다
숙명이거니
혹은 섭리거니

벌 아닌 등에가 날아온들
어찌 쫓아내리
꼬리 문 뒷 계절 바람 냄새 그리며
잘 버텨 씨방 무는 날 기다렸다

사람만 힘든 게 아니다

살만해서 짝을 찾는 건지
어쨌든 씨앗이나 보자는 건지

보도블록 틈새
하얀 꽃 피운 개미자리

바야흐로
칠월 염천인 줄도 모르나 보다

개미자리

주차장 가는 길목 보도블록 틈새에 풀이 돋아있다.

그저 잡초려니 하고 무심코 지나치려다 하얗게 매단 꽃이 보였으므로 걸음을 멈추고 허리를 굽혀 자세히 살펴보았다.

솔잎보다 넓으나 길이가 짧은 잎사귀가 가느다란 줄기 따라 총총 달려있다.

나태주 시인이 '자세히 보아야 예쁘다'라고 한대로 자세히 들여다보니 여느 꽃 못지않게 예쁘다.

하지만, 하필이면 사람의 왕래가 잦은데다 물기마저 없는 보도블록 틈새에 자리를 잡았는지, 하찮아 보이는 식물의 행동?에 동정심이 일었다.

관심 가지고 둘러보니 한두 포기가 아니다.

보도블록끼리 잇댄 틈새, 여기저기 돋아난 풀(그때까지 식물의 이름을 몰랐으므로 그냥 풀이려니 했다.) 중에는 지나다니는 사람의 발에 밟혀서 가지가 꺾여서 시든 것이 보였고, 그 척박한 환경에서도 용케 수분을 제대로 얻어먹었는지 이파리가 아주 새파랗고 싱싱한 것도 보였다.

개화기인지는 알 수 없으나, 시든 것이나 싱싱한 것 모두 하얀 꽃을 피우고 있었으나 꽃이 너무 작아서 사람들이 관심을 가지지 않은 듯했다.

나 역시 쨍쨍한 땡볕 아래에서 꽃 구경하고 싶은 맘
이 아니었으나, 이름도 모르는 식물이 하필이면 보도
블록 틈새에 뿌리를 내려 종족을 보존하려고 꽃까지
피운 게 대견하여 식물의 이름이라고 알아보려 사진
을 찍었다.
  인터넷 검색 결과 하얀 꽃을 피운 식물은 '개미자
리' 혹은 '개미나물'이었다
  개미가 많은 곳에 자라는 습성 때문에 '개미자리'라
는 이름이 붙은 게 아닐까 하는 추측일 뿐이며 '자리
'라는 이름이 붙은 식물은 비스듬히 자라거나 눕는
성질이 있다고 한다.
  이름이 어쨌거나 종족을 보존하려고 좋지 못한 조건
속에서도 살아가는 생명력에 경외감이 들기도 했지
만, 한편으로 인간이나 식물이나 삶을 영위하는 게
만만한 게 아니라는 걸 보여주는 듯해서 씁쓸한 기분
이 들기도 한다.

입동^{立冬} 즈음

춘분께 꺾꽂이해 심은 국화
삼복더위 물것 날것 견뎌내고
백로 즈음 꽃 피우더니
입동 지나자 한잎 두잎 시들고 있다

1948년에 태어난 나는
무어 피워 본 기억 감감한 데
2022년 한 해가 저무는 지금
피도 못 한 기억
덩달아 시들고 있다

내가 사는 남촌동

사는 곳이 남촌이라고 하면
실제 그런 동네가 있느냐고 묻는다

그러고는 '산 너머 남촌' 흥얼댄다
시 읊은 시인 누군지 모르지만
꾀꼬리 가수라던,
늙어버린 여가수는 알고 있었다

봄바람 불던 어느 때
땅값 챙겨 거부된 원주민 몇
저마다 외제 차 끌고 나와 거들먹거리더니
상처투성이 아스팔트 길엔 먼지만 뒹굴고

고갯마루 버스 정류소 앞 부동산중개소
색 바랜 간판 귀퉁이에 간신이 매달린 거미줄
지난여름 먹어 치운 날[生]것들 잔해만 대롱대는 사이
신도시로 향하는 537번 마을버스 잠시 멈췄다 간다

코로나_ 19_(1)

열아홉 개의
왕관인 줄 알았더니

줄 서 오래 기다렸다가
겨우 사는
두 장의
마스크였다

마스크 유감

마스크 배급제가 시작되었다.

수요에 비해 턱없이 부족한 마스크를 고루 나눠 쓰기 위해 정부에서 짜낸 방법이라지만, 정작 필요한 마스크를 구하려는 사람들의 수고가 이만저만이 아니라는 걸 겪어보고 알게 되었다

주민등록번호의 생년을 따지지 않고 마스크를 판매했던 사흘간인가 하는 그 시기에는 짬을 낼 수가 없어서 구입을 포기했다가, 생년을 따져 판매한다는 오늘은 약국 문 여는 시간에 맞춰 일찌감치 약국으로 갔더니 먼저 와서 차례를 기다리는 사람의 행렬이 길기만 했다.

줄 서 있는 사람의 꽁무니에 붙어 섰더니 금방 내 뒤로 대여섯 명이 따라붙었다.

한참을 기다려도 줄이 줄어드는 기색이 없어서 웬일인가 알아봤더니, 마스크 공급업체의 배송 차량이 도착하지 않아 당장 판매할 마스크가 없다는 것이었다.

마스크 구입을 포기하고 집으로 돌아간다면 다시 일주일을 기다려야 할 것이어서 어쩔 수 없이 버티고 서 있자니 짜증이 나고 한심스럽기까지 했다.

코로나 19 발생 전에도 미세 먼지니 황사 따위로 마스크를 착용하는 사람이 많았지만, 지금처럼 전 국

민이 마스크를 착용하는 건 아니었다.

내 경우만 해도 마스크를 착용하면 안경에 김이 서려 그 불편함으로 어지간해서는 마스크를 사용하지 않았는데, 이번 코로나 사태 앞에서는 어쩔 수 없이 마스크를 쓸 수밖에 없었다. 지금도 잠깐 근처에 나가면서 마스크를 착용했더니 아니나 다를까 금방 안경에 김이 서려 앞을 볼 수 없을 지경이어서 걸음을 멈추고 안경을 벗어 김을 닦아내야 할 정도로 불편하다. 그런데도 외출 시에는 마스크를 착용해야만 한다고 법으로 강제했으니 법에 따르긴 하겠는데, 마스크를 구하는 게 쉽잖은 게 문제라면 문제다.

마스크 제조 공장들이 생산을 늘리고 싶어도 원재료가 부족하여 뜻대로 할 수가 없다고 한다.

마스크는 소비층이 한정되어 있었기에 완성품을 제조하는 공장은 물론, 원재료를 생산하는 국내공장도 원재료를 많이 보유할 필요가 없었으므로, 불시에 늘어난 소비를 충당하기에는 원재료가 턱없이 부족하다는 것이었다.

부랴부랴 중국에서 원료를 수입해야 했는데, 중국 역시 코로나 19 여파로 자국의 마스크 수급도 부족한 형편에 우리나라로 원재료를 수출할 물량이 부족함은 물론, 자국 내의 공급도 어려운 형편이라고 한다.

이래저래 마스크 수급(需給) 부족은 한동안 계속될 모

양이다.

마스크 부족은 우리나라뿐만 아니라 세계 각국이 겪는 현상이라고 한다.

세계의 생산공장이라는 중국이 수급 부족으로 어려움을 겪는 마당에 중국에서 물건을 수입하던 국가들이 마스크 부족 현상이 생긴 건 당연하겠다.

딸애가 가 있는 프랑스도 예외가 아닌 모양이다.

딸애는 다섯 식구(외손녀가 셋)가 사용할 마스크를 구하는 게 쉽지 않다고 하면서, KF94 정도로 코로나 감염 예방에 안전하다는 마스크는 더더구나 구하는 게 어렵다고 했다.

우리나라는 마스크 공급이 조금 쉬워졌으니 몇 장 구해 보내겠다고 하니, 운송장의 물품 명세서에 마스크라고 기재하지 말고, 호일 같은 것으로 똘똘 말아서 다른 제품 속에 감춰 보내라고 했다.

최근 프랑스 세관원이 외국에서 들어오는 물품 중에 마스크만 빼내는 경우가 있다는 소문이 돈다는데, 특히 우리나라 마스크는 성능이 좋다고 소문이 나서 세관원들이 눈독을 들이고 있을 정도라고 하니, 자칫 어렵게 구해 보낸 마스크가 도중에 없어지는 불상사를 사전에 방지하려니 꼼수를 쓸 수밖에 다른 방법이 없겠다.

코로나 19 (2)

코로나19 확진자가 늘어났다는 뉴스 들으며
얼토당토않게 코로나 택시 굴러다니던
고등학생 시절 더듬었다.

Corina, Corina, I love you so.
어쩌구 하고 팝송 흥얼거리던 때여서
나도 모르게 '코리나 택시'라고 했다가
무식한 놈이라고 놀림 받았던 것 떠올렸는데,

자가 격리 중이던
70대 고령 환자가 숨졌다는 뉴스 들렸다

70대 고령!
퍼뜩 정신이 들었다

살아갈 날 남아있겠거니
당연한 듯 친구들 둘러앉으면
소주든 막걸리든 주는 대로 받아 마시며
깝죽거렸던 내가
초반이긴 해도 70대,
그게 고령이라는 걸
나만 몰랐다

밴댕이 속이라서 그런 걸까?

별것 아닌 것에 울컥 화가 치밀었다.

나이 든 만큼 관대하고 이해심이 깊게 아량을 베풀었어야 함에도, 그러질 못하고 짜증스럽게 욱한 것은 수양이 덜 되어 그랬을 것이다. 아니면 사는 게 팍팍하여 매사 초조해서 그랬을 거라고 나중에 자책했지만, 어쨌든 옹졸했고 나잇값 못했던 건 사실이었다.

울산 사는 아들이 지난 5월에 베트남 사업장으로 발령이 났다면서 출국하기 전에 인사차 다녀가는 김에 아들 내외, 네 살배기 손주와 함께 자연농원에서 하루를 보내고 근처에서 1박하는 것으로 섭섭함을 달랬다.

바로 출국할 거라 했던 아들은 코로나 19로 베트남 당국에서 외국인의 입국을 허락하지 않는다면서 몇 개월째 출국이 지연되고 있었다.

9월 초에 18일로 출국이 결정되었다면서, 이번에는 어떤 일이 있어도 전세기가 뜰 것이니 그전에 한 번 더 다녀가겠고 했다.

외국 지사 파견 근무의 경우 보통 2년에서 길게는 5년씩 현지에서 근무하는 조건이라고 했으므로, 자칫 오랫동안 만날 수 없는 상황이 발생할 수도 있겠기에 아들을 한 번 더 보는 게 반갑기만 했다.

 아들네와 한 번 더 생긴 식사할 기회를 놓칠세라 아내는 근처에 마땅한 식당을 물색하여 사전에 단체 출입 가능 여부를 따졌다.
 코로나 사태로 식당에서는 인원과 시간제한을 한다는 뉴스를 접했으므로 모처럼 외식이 어긋날까 염려스러웠다.
 식당에서는 5명이 참석할 경우, 백신 접종을 완료한 사람이 세 명이면 가능하다고 했다.
 아들은 출국 준비하면서 미리 백신을 접종했고, 아내 역시 질병관리본부에서 정한 일정에 따라 접종을 마쳤으니 문제 될 게 없었으나, 접종하지 않은 며느리와 손자, 그리고 내가 문제였다.

 2월에 심장 동맥 우회 수술했던 나는 백신 접종으로 후유증이 있을지 모른다는 불안감으로 주치의와 상의한 후 접종하다 보니 예정보다 1개월 정도 늦은 9월 2일에 2차 접종을 마쳤고, 접종 확인 인증을 받을 수 있는 14일이 지나려면 3일이 부족했다.
 출입 못 할지도 모른다는 걸 알면서도 혹시나 해서 식당에 도착한 시각은 6시가 막 지났을 때였다.

 일상화되다시피 한 출입 절차대로 QR코드에 접속한

뒤, 체온을 확인하고 나자 종업원이 단체 출입이 가능한지 백신 접종 유무를 확인하는 절차가 있었다.

미리 질병관리본부에서 제공한 앱을 전화기에 내려받았던 터라 확인은 바로 가능했다.

종업원은 접종자, 미접종자 포함하여, 6시 이전엔 4명, 이후에는 2명까지만 출입이 가능하다고 했다.

염려했던 대로 5명 동석이 불가하니 두 군데로 나눠 앉으라면서 그것도 가까운 자리는 안 된다고 했다.

방송에서 자주 봐 왔던 내용이어서 알고는 있었지만, 이리 엄하게 적용하리라고는 예상하지 않았으므로 당황스럽고 민망하면서도 울컥 화가 치밀어서 따지듯 물었다.

"겨우 6시에서 2분이 지났는데, 한 가족이 가까운 자리도 안 된다는 거요?"

"6시 이전에 오셨더라도 6시가 되면 초과 인원은 나가셔야 합니다. 그리고, 식사하시다 보면 서로 왔다 갔다 하는 경우가 있을 테고, 그게 CCTV에 찍혀서 발각되면 저희는 영업정지에 벌금을 물어야 합니다."

"돌아다니지 않고 식사만 하겠다는데 그것도 안 되오? 그리고 어느 놈이 CCTV만 보고 있대요?"

"그래도 가까운 자리는 드릴 수 없습니다."

참고 있던 화가 치밀고 말았다.

"코로나, 코로나, 지랄들 하는 줄 알았지만, 이럴 줄 몰랐다. 무슨 놈의 바이러스가 사람 수를 확인하고, 6시 이전엔 전염되지 않고 6시 이후엔 전염된다는 건가?"

언성을 높이는 바람에 손자가 놀란 표정으로 나를 쳐다봤고, 아내가 난처한지 내 앞으로 끼어들어 사태를 수습했다.

"미안합니다. 우리 생각만으로 무리한 부탁을 해서,"

내가 다시 소리쳤다.

"미안하긴 뭐가 미안하다는 거냐?. 공짜 밥 먹자고 했냐?" 고기 못 먹어 환장했나?

아내의 만류도 있었지만, 종업원에게 따진다고 해결

될 문제가 아님을 알았으므로 식당에서의 식사는 포기하기로 했다.

 배달 음식을 시켜 먹자는 걸 만류하고 근처 대형 마트에 들러 회와 고기를 사가서 집에서 해 먹기로 했다.

 대형 마트에 들린 나는 또 한 번 분통이 터졌다.
 마트보다 규모가 작은 식당에는 철저하게 인원 통제를 하고 있었던 반면, 마트는 그야말로 치외법권 지역이었다.
 출입자 확인이나 체온 체크는 하고 있었지만, 카트를 끌고 우르르 몰려드는 일행이 다섯이든 여섯이든, 그런 건 따지지 않았다. 앞사람과의 거리 두기는 앞사람을 바짝 따라붙는 카트 하나의 거리면 충분했다. 이런 식으로 만만한 데와 그렇지 않은 데를 구분하여 통제하는 게 잘하는 짓거리(감히 짓거리라고 비하한다.)인지 불평이 쏟아졌다.

 예정대로라면, 아들은 일행과 베트남 행 전세기를 타기 위해 울산의 회사에서 출발 대기 중일 것이다.
 아내는 공항에서 아들 모습을 한 번 더 보려고 외출 준비 중이라고 내게 알려왔다.
 추석 연휴에도 근무 중이어서 함께 공항에 나가보지

도 못한다는 생각이 들어 울적하다.

 남매 낳아 키워 딸애는 프랑스에, 아들은 베트남에,
멀리 떨어져 살아야 하는 팔자가 씁쓸하다.

 코로나가 종식되어야, 덜 아플 때, 여행도 할 겸 자
식 만나러 나가보기라도 하겠는데,

 원하지 않는 나이만 늘어가고 있어 안타깝다.

전설傳說을 만나다

신호등이 빨간 불로 바뀌고
1.5톤 낡은 트럭 멈춰선 건너편
간판만 슈퍼라고 붙은 허름한 가게 앞에
색 바랜 빨간 우체통 서 있다

가슴 답답한 누군가 서성이다 갔을까
우체통 근처에 버려진 몇 개의 담배꽁초
아득한 옛날 부치지 못하고 책갈피에 끼워뒀던
어떤 여인에게 보내려던 편지만큼 헛헛하다

신호가 바뀌고, 또 바뀌어도 건너지 않고
부치지 못했던 편지를 읽는다
빛바래 중간중간 끊어진 행간 끼워맞추니
흘러간 유행가 가사만큼 구성진 연민만 쌓인다

실없고 무료^{無聊}한,

생각 없이 어슬렁거리다가,

박새 한 마리
배롱나무 가지로 날아와 앉자
나무껍질 떨어지는 거
우연히 봤을 뿐인데,

얼토당토않게 반세기도 더 오래전의
광복동 문화극장 떠오르고
건너 골목 안 태백 다방 떠올랐다

다방에서 들었던
가사도 모르며
흥얼거렸던 팝송들

코니 프란시스, 잉글버트 험퍼딩크 …
주워들은 가수 이름 들먹이며 우쭐대다
재수학원 단과반에서 몇 번 본
예쁜 여학생과 눈길 마주쳐 무안했던
하찮고 어쭙잖은 것 생각났다

영화도 안 보고 다방도 안 갔더라면

좋은 대학 갔을 테고
그랬다면
지금처럼 살지 않을 거라는

뜬금없고 같잖은 생각하는 사이

내 생각 읽은 박새
고개 갸웃거리더니
호로록 날아 가버렸다

얼척없고
가소로웠던 모양이다

추상화抽象畫

화가 친구에게 그림 한 점 얻었다
잔상_30이라는 제목의
소나무 껍질 비슷하게 생긴 무늬들
10호 크기 화폭 가득
오밀조밀 그린 그림이다

잔상의 낱말 뜻은 알 듯 하나
뭘 표현한 건지 알 수 없다

이 그림 뭘 표현한 거냐?
화가에게 물었다

네가 보고 느낀 거,
그게 뭔지 몰라도,
그걸 표현한 거다
알쏭달쏭한 대답에 다시 물었다

어느 쪽이 위냐?

보고 싶은 대로 봐라
위든 아래든, 아니면 옆으로든,

벽에 걸어둔 뒤 이틀인가 지났다
殘像대신 世上이라고
제목 바꿨으면 좋겠다는 생각 들었다

추상화 감상

추상(抽象)이라는 말은 사전의 설명도 이해가 쉽지 않다. 그런 만큼 쉽게 읽을 수 있는 우리글을 사용한 추상적인 내용의 시(詩)도 이해가 어려운 데, 추상화를 감상하고 이해하기란 더더욱 어려운 건 당연하겠다.

화가는 아니더라도 그림을 그리고 싶어서, 나름대로 풍경화를 그리고 만화의 주인공을 그리면 반 친구들이 잘 그린다는 소리를 듣기도 했지만, 정작 그림을 감상할 정도의, 더구나 눈에 바로 들어오는 풍경화 같은 게 아닌 추상화를 감상하기엔 내 수준이 턱없이 부족하다. 그럼에도 나는 화가 친구에게 얻은 추상화 한 점을 보관하고 있다.

중학교 때부터 미술부원이었던 동기 친구는 어렸을 때 가졌던 화가의 꿈을 이뤘는데, 대학에서 미술을 전공한 후, 미술 교사로 정년퇴직할 때까지 몇 번의 개인전을 가졌을 정도로 제대로 화가의 삶을 산 부러운 친구다.

화가 친구의 그림 대부분은 잔상(殘像)이라며 일련의 번호를 매겨 화제(畫題)를 붙였는데, 사전적인 의미를 따지지 않더라도 친구는 오래전에 겪었던 어떤 일을 한점, 한점 가물가물한 기억을 더듬듯 화폭에 담았을 거라고 짐작했다.

그림을 얻을 당시에는 거실벽 면에 걸었었는데, 좁은 집으로 옮기면서 마땅히 걸 자리가 없어서 한동안 포장해두었던 걸 새로운 포장지로 바꾸면서 다시 그림을 살펴보았다.

그림은 예전 그대로 임이 분명하나, 전과 다른 느낌이 들었다.

화가 친구가 떠올리고 싶었던 기억이 무엇인지 알아차릴 수 있을지 그림을 뚫어지게 보기도 하고, 위아래, 좌우로 방향을 바꿔보기도 했지만, 언감생심, 감히 타인의 기억을 알아내는 게 말이 될 소린지,

화가의 殘像은 개인의 잔상으로 인정하기로 했지만, 위아래, 좌우 구분이 모호한, 그래서 추상화라고 하는 그림의 화제는 차라리 世上이라고 하는 게 낫겠다는 생각으로 그림 감상을 끝내기로 했다.

흔적

어떤 흔적은 그리움이고
어떤 흔적은 상처傷處다

내 몸 여기저기 남아 있는
닦아도 지워지지 않는 흔적들
들쑤시지 않아도
느닷없이 도지곤 한다

어느 저녁엔 서글프고

어떤 밤에는 잠 못 들게 한다

앵꼽은 세상

사는 게 힘들고 빡세던 시절 있었다
수시로 횟배앓이 헛구역질 해대면
외롭다 뜸부기 울어대던 때였다

지금은 제멋에 겨워 쪼대로 사는 세상
보리밥 먹지 않고 종달새 우짖잖아도
잘 먹고 잘산다는 말,
헛소리 아니다

함에도 삼 년 굶은 걸귀^{乞鬼} 천지삐까리다
설치는 꼬락서니 그냥 봐 넘기려니
앵꼽고 더러워서 참기 힘든 세상이다

낱말풀이
빡세다: 형용사 (속되게) 하는 일이 힘들고 고되다.
횟배앓이:명사 한의학 =거위배(회충으로 인한 배앓이).
쪼대로 : 자기마음대로, 또는 기분대로 등으로 쓰이는
　　　　　경상도 사투리.
천지삐까리 :천지(온 들판)에 있는 삐까리(볏가리)란 뜻으로
　　　　　　많음을 강조한 말이다
앵꼽다 :'아니꼽다'와 같은 말. 경상남도 사투리

- 76 -

빨간 신호 등은 믿어야 하겠지?

영광 굴비 싸게 판다는
트럭 장수 확성기 소리 듣고
아내는 마뜩잖은 표정으로 말한다

소래 포구까지 가서 사 온 조기도 가짜였는데
트럭 장수
무슨 용빼는 재주로 진짜를 팔겠냐고,

낮 한때 비 올 거라는 일기예보 믿고
들고 나갔던 우산
전철에 두고 내렸다

메이드 인 차이나지만
살 하나만 휘어진,
한 일 년은 더 쓸 수 있었을,

정의롭고 잘사는 나라 만들겠다는
대통령 말에
콧방귀 뀌고

까짓, 국회의원이나
꼴랑 장관 따위의 말은

개 짖는 소리 듣듯 했으면서도

일기예보 철석같이 믿었다가
우산만 잃고만
쪼다 하나
신호에 걸려 멈춰 섰다

무관심

참 오랜만에 집 전화벨 울렸다
냉큼 받았더니
무슨 여론조사 한다고 했다

'여론조사는',

수화기를 내려놓으며

'무슨 나발 같은 소리'냐고 중얼대다
'거미'라는 생뚱맞은 단어 떠올렸다

절지동물 거미와
어스름을 뜻하는 거미
두 거미의 관계가 궁금했다

해질녘도 아닌데
그 말이 왜 생각났는지
나도 모르겠다

원래原來 그랬다

흰색 섞었다고 우기지 말자
빨강 섞었다고도 우기지 말자

분홍은
그냥 분홍이다

여론

입 비뚤어지지도 않았는데,
목에 힘 들어간 사람들
동료들과 모여
'ㅅ'이라 밝혀진걸
'ㅈ'이라 우기고 억지부린다

'ㅅ'은 종내
'ㅈ'이 되었지만
몇몇 조간신문과 방송은
아예
'ㅊ'이 맞는다 했다

여론조사

방송에서나 신문에서는 자주 여론조사라는 것의 결과를 알려주고 있다.

대통령의 국정 수행 능력부터 정치 집단인 어느 당을 좋아하는지 따위, 정부에서 시행하는 여러 가지 정책의 잘, 잘못을 물어보는 것 등, 여론조사의 종류라든지 형태는 셀 수 없이 많다.

국가가 하는 일이 다양하고 복잡하더라도 당연히 국민이 알아야 하고 국민이 따르도록 해야 좋은 일을 할 수 있을 터여서 사전에 국민의 뜻을 살펴보기 위해 의견을 물어보는 것일 테고, 정당도 소속된 국회의원들의 하는 일이 국민이 원하는 것인지 따위를 여론조사라는 것으로 알아보려는 것일 거다.

그렇게, 지금까지 한 일이 잘한 것인지, 혹은 좋은 일 하려고 하니, 국민의 의견은 어떤지 미리 여러 사람의 의견을 알아보려고 하는 게 여론조사라는 건 알겠는데, 그 여론조사라는 것의 '여론'이 시답잖음을 넘어 아예 믿을 수 없다는 사람이 의외로 많다고 하며, 나 역시 그런 사람 중의 한 명이다.

내가 여론조사를 달갑지 않게 생각하는 데에 특별한 이유가 있는 건 아니다.

신문이나 방송에서 밝히는 여론조사의 내용이 내 의사와 다르다고 해서 크게 불만을 나타내지도 않지만,

설혹 마음에 들지 않는다고 떠들어 본댔자 아무런 효과가 없을 걸 잘 알기에 국으로 입을 다무는 것이다.

그런 내게 여론조사를 한다는 전화가 걸려 온 적이 있었다.

휴대전화를 사용하면서 거의 무용지물이 되다시피 한 집 전화가 울리기에 아무 생각 없이 받았더니 대통령 후보에 관한 여론조사를 한다면서 잠깐만 시간을 내어 질문에 응해달라고 했다.

무슨 내용을 묻는 것인지 궁금하여 귀를 기울이며 수화기 너머의 질문 문항에 따른 답의 번호를 자판기에 찍던 중 나이를 묻는 항목에서 정직하게 대답한 게 잘못이었는지 "귀하는 본 여론조사의 대상자가 아닙니다."라는 안내로 전화를 끊어버리는 것이었다.

제 맘대로 건 전화, 제 맘대로 끊는다고 기분 상하고 화가 치밀 정도로 세상을 순하게 살지는 않았지만, 여론조사 한답시고 저들이 정한 질문하다가 제 맘대로 전화를 끊어버리는 행위는 괘씸했다.

저들이 원하는 나잇대의 사람이 아니라는 이유로 여론조사에서 배제 시켰을 거라는 짐작으로 그 의도가 여론을 조작하기 위한 불순한 행위라고 생각하니 시중에 떠도는 소문이 헛소문만은 아님을 알 수 있었다.

황당하고 어이없는 여론조사 전화는 친구 몇몇도 경험했다고 했으며, 유사한 경험담이 인터넷에 떠도는 걸 보기도 했다.

　많고 많은 여론조사 기관이나 업체의 질문 형태가
다 제 멋대로가 아니겠지만, 미꾸라지 한 마리가 흐
려놓은 우물을 아무렇지도 않게 마시고 싶은 마음이
들지 않는 건 나 혼자만은 아닐 것이다.

오늘 투표일이다.

남녘 어딘가에서 매화가 피었다는 소식이 들린 지 며칠 지났으니 봄이 멀잖은 곳에서 얼쩡대고 있음을 느끼고 있다.

아직 차가운 날씨임에도 아랑곳하지 않고 국민 대부분이 기다렸던 대통령 투표일이 밝았다.

국민 대부분이라 했으니, 그 중에는 투표를 탐탁지 않게 여기고 기권하는 사람도 있을 것이라 짐작되어 국민 모두라고 하지 않은 것이다.

내 기억으로 초등학교 3학년 반장을 뽑는 투표가 생애 첫 투표였던 것 같다. (국민학교라고 타이핑하는 데 저절로 초등학교로 바뀐다. 나는 국민학교를 졸업했으므로 그걸 고집한다. 일제 잔재라고 하지만, 모든 걸 그런 식으로 몰아붙여 후딱 바꾸는 건 옳지 않다는 생각이다.)

1, 2학년 때는 담임 선생님이 지정한 애가 반장을 맡았으며, 그래도 선거라 할 수 있는 3학년 때의 반장 선출은 학우들이 추천한 몇 명 중에 마음에 드는 애의 이름을 쪽지에 적어 낸 다음 그 쪽지를 한 장, 한 장 펴면서 이름을 부르면 선생님이 칠판에다 선을 그었다. (그때는 그게 한자 '正'인 줄 몰랐다.)

4학년 때도 3학년 때와 같은 방법으로 반장을 뽑았다.

5학년 때도 같은 방식이었으나, 소위 말하는 후보자의 선거 운동이 개운찮고 꺼림칙한 것투성이여서 나중에 배운 보통선거와는 전혀 달랐다.

후보자 중 한 아이는 우리 반뿐만 아니라 전교에서, 5학년이었지만 감히 전교라는 표현을 쓸 수 있을 만큼 싸움에 능하고 폭력적이었다.

투표 당일, 투표용지로 사용할 쪽지를 나눠주신 담임 선생님이 등을 돌린 사이에 그는 헛기침 소리로 학우들의 시선을 모은 다음 종주먹을 제 가슴팍 위에서 흔들며 '잘못되면 재미없다'는 동작을 해 보였다.

10분도 걸리지 않아서 끝난 투표의 결과는 예상했던 대로였다.

62명 중에서 56명의 찬성표를 얻은 그는 당당히 반장에 선출되었으며 그 여세는 6학년 2학기 초까지 이어졌다.

딱히 그때의 반장 선거 여파로 내가 투표에 관심을 가지지 않는 계기가 되었다고 하기엔 부족하다만, 나이 들어가면서 몇 번의 투표를 거칠 때마다 제대로 한 번도 공정하고 깨끗하다는 인상을 남길 만한 투표를 경험하지 못했으므로 선거라는 제도가 시큰둥하고 투표도 달갑지 않은 것이다.

 투표를 좋지 않게 여기도록 한 경험이 한 건 더 있다.

 박정희 대통령의 유신 찬반 투표를 기억하는 사람이 많을 것이며, 나 역시 당시 상황을 잊지 않는다.
 유신헌법 찬반 국민투표는 내가 군 생활을 반 조금 더 했을 1972년 11월 21일에 있었다.

 투표일 며칠 전부터 부대 내에서는 꼭 찬성표를 찍어야 한다는 강압적인 정훈교육을 몇 번이나 받았다.
 선임하사, 주임상사는 말할 것도 없고 과장도 과하다 싶을 만큼 찬성표를 강요했다.

 드디어 투표 당일 부대원들은 각 과별로 열을 맞춰 영외에 마련된 투표소로 가서 말뿐인 소중한 국민의 한 표를 행사하고 귀대했다. (후방의 우리 부대는 잠정적으로 중대 및 소대가 편성되어 있었으나, 평시에는 낮 동안 근무하는 과(課)별로 행동했으며 내무반 역시 과별로 구분되어 있었다.)

문제가 터진 시간은 개표가 시작되어 얼마 지나지 않았을 때였다.

 얼굴이 벌겋게 상기된 주임상사가 우리 내무반에 들어서면서 김 ㅅㅅ를 찾았다.

 느닷없이 나타난 주임상사의 식식대는 모습을 바라보는 과원 앞에 영문도 모르고 불려 나간 김 ㅅㅅ의 턱에 고개가 휙 돌아갈 정도의 거센 주임상사의 주먹이 날랐다.

 이어 주임상사가 호통쳤다.

 "이 쌍놈의 새끼야! 입이 부르트도록 찬성표를 찍어야 한다고 신신당부했는데, 귓구멍에 말좆을 박고 있어서 못 들었던 거냐? 재부(在釜) 지역 전 부대에서 네 놈 새끼 한 놈만 반대표를 찍었다고 하니 이런 고약한 데가 어디 있단 말이냐? 편안한 데서 군대 생활하다 보니 몸이 근질거렸던 모양인데, 제대로 군대 맛보게, 좋은 곳으로 전출 보내줄 테니 그리 알아라, 그리고, 저런 놈 하나 제대로 교육하지 못한 네 놈들도 모두 각오해라."

 부대원들에게도 엄포를 놓은 뒤, 들어올 때처럼 여전히 식식대며 주임상사가 돌아가고 나자 선임병들은 김 ㅅㅅ를 불러세워 정말 반대표를 찍었는지를 확인했다.

김 ㅅㅅ은 순순히 대답했으며 중구난방 선임병들의
질타가 터져 나왔다.

이름자 끝자리만 나와 달라 평소 친근감을 가졌던
김 ㅅㅅ을 바라보며 측은한 생각이 들었지만, 도울
방법이 있을 리 없어 안타깝기만 했다.

나중에 중대 본부 서무계로부터 알아낸 내용은 이러
했다.
미리 정보작전처 소속 선임하사가 투표소의 은밀한
장소에서 부대원들의 투표 사항을 감사하고 있었으
며, 부대원 아무도 그런 낌새를 눈치채지 못했다.
김 ㅅㅅ은 거리낌 없이 제 소신대로 반대표를 찍은
것이었다.

주임상사의 엄포대로 몇 개월 뒤 김 ㅅㅅ은 다른 부
대로 전출 가고 말았는데, 그곳이 전방인지 어딘지는
과원 아무도 알지 못했다.

오늘 제20대 대선 투표일을 맞아 찍을 후보자를 제
대로 잘 선택했는지 다시 따지다 보니 오래전 투표에
얽힌 기억이 떠오르고 이어서 김 ㅅㅅ 의 이름도 기
억났다.

반골 기질이 다분했던 김 ㅅㅅ, 이번에도 소신대로 투표하리라 믿는다.

아울러 나를 아는 사람들, 친구들 모두 소신껏 투표하길 바란다.

새 발의 피 같은 거짓말

외진 산골 돌밭도 사고
홍수 때면 물에 잠기는 강변 땅도 사고
고생, 고생하며 돈 번 족족 땅 사 모아
제대하고 할 짓 없어 빈둥대는
아들에게 물려준 아버지,

쓸모없는 땅만 물려받았다고
한 5년 원망하다가
물소리 들리는 계곡 옆 자투리땅에
암자 하나 지은 아들

백련암,
그럴듯한 현판 달고
염불 좀 외는 월급 스님 모셔 와
서너 달 버텨보니

암자 팔아도 모자랄 것 같아
스님 내 보내고
사나흘 고민하다가
중고 카세트, 염불 테이프 구해서
새벽부터 틀어 놓았다

버려둔 땅 근처에 관광지 개발되고
주말마다 몰려드는 관광객들

이게 웬 떡이냐
암자 옆 노는 땅 길 가에
뚝딱 간이식당 차려 놓으니

수입산 도토리묵에 막걸리 마신 아주머니
수입산 더덕구이에 소주 취한 아저씨

바람결에 실려 온
백련암 염불 소리 듣고
득달같이 불전함에 시주한 후
혀 꼬인 소리로 물었다.

"스님은 어디 계십니까?"

벙거지 덮어쓰고 승복 입은 아들
합장하며 대답했다

"큰 절에 행사가 있어서 출타 중입니다."

새 발의 피

몇 년 전에 고향의 유명한 산 정상을 오르는 케이블
카가 개통되었다고 해서 친구 몇 명이 찾았다.

케이블카 한 번 타려면, 표를 사는데도 서너 시간
더 줄 서서 기다려야 한다고 해서 고향 친구에게 미
리 부탁하여 예매했는데도, 탑승하려면 3시간도 더
기다려야 했다.

케이블카 탑승구 앞 좁은 휴게소는 발 디딜 틈도
없이 번잡하여 근처에 알려진 ㅇㅇ소(沼) 구경이나 하
면서 시간 때우기로 했다.

ㅇㅇ소(沼)며 근처 계곡을 돌아오다 친구 B가 고등
학교 동기이자 군 생활을 같이한 K라는 친구가 근처
에서 식당을 하고 있으니 그곳에 들러 요기라고 하자
면서 K의 내력을 이야기했다.

윗대로부터 물려받은 밭 한 떼기 없었던 가난한 농
사꾼이었던 K의 부친은 억척스럽게 돈을 모아 땅을
사 모았는데, 정작 쓸 만한 땅은 몇 평 되지 않았지
만, 형편대로 사 모은 쓸모없는 땅을 몽땅 아들에게
물려줬다고 했다.

K는 쓸모없는 땅을 물려받아 그냥 방치 해두고 있다가 무슨 생각에선지 ㅇㅇ소(沼) 입구의 자투리땅에 조그만 암자를 하나 지은 후 월급제 스님을 고용했지만, 간간이 찾아오는 신도들이 시주하는 돈으로는 스님의 월급을 감당할 수가 없었다고 했다.

그만둘 수 없다는 스님을 사정사정하여 내보낸 뒤, K는 고물상에서 카세트를 구입하여 염불 테이프를 틀어 놓는 것으로 위기를 모면하기로 했다.

그러는 사이 케이블카가 개통되었고, 고향 근처 큰 도시에서 호사가들이 모여들기 시작했다.

알려진 대로 케이블카를 타려는 사람들로 교통이 마비될 정도였고, 표를 사서 차례를 기다리는 사람들이나 표를 사지 못한 사람들은 근처를 배회하며 ㅇㅇ소(沼)에도 들러보고 식당에서 간단히 한 잔씩 기울이다가 눈에 뜨인 암자에도 들르는 것이었다.

K는 새벽에 눈 뜨면 바로 암자의 테이프를 틀어 놓는 걸로 일과를 시작했으며 날이 저물면 불전함을 열어서 그날의 수입을 확인한다고 했다.

수입 액수를 물었더니, K는 영업 비밀을 알려 줄 수 없다면서 시시한 월급쟁이의 월급보다는 많을 거라고 했다.

간혹 시주하고 나오는 불자들이 벙거지 눌러 쓰고 승복 입고 암자 주위를 어슬렁거리는 K에게 스님을 만나고 싶다고 하면,

"큰 절에 행사가 있어서 출타 중입니다."라며 둘러 댄다고 했는데,

정치하는 사람들의 거짓말에 견주면 '새 발의 피'라면서 절대 사기 치는 게 아니라고 큰소리친다고 했다.

오기傲氣 혹은 깡다구

한 뼘보다 훨씬 키 큰 초등학교 동기
내가 뭐라 말만 하면
존만 한 게
대라져서 말은 잘한다고 이죽댄다

힘이 부치는 나는
그가 뭐라던 잠자코 있기만 했더니
이죽대는 게 갈수록 심했다

어느 날
참다못해 내가 소리쳤다

존만아, 존만아 하지마라
내 키 크라고
네가 밥 한술 떠먹여 줬냐?

쬐려 보는 그에게 덧붙였다

키 큰 네놈 하는 소리는 다 옳고
존만 한 내 말은 다 대라졌다는 거
언놈이 가르쳐 주더냐
교과서에 써 있더냐?

어?
일마 이거 성내니까 무섭네

일마 이거라고?
웃기네
존만 하다고 벨도 없는 줄 아냐?
열 대 맞더라도
한 대 때릴 힘 있으니 한판 붙어 볼래?

듣기 좋은 꽃노래도,

나보다 10cm도 더 키가 큰 Y는 초등학교와 중학교 동기이지만 한 반이었던 적은 없었다.

사회생활을 하면서도 만날 기회가 없더니 동기회 모임에서 그를 만났을 때는 고향을 떠난 지 20여 년이 지났을 때였다.

타향에서 오래 살다 보니 처음 보는 사람도 고향 사람이라면 반가운데, 오랫동안 보지 못했지만, 그래도, 동기를 만났으니 어찌 반갑지 않았겠는가?

그런데, Y를 만났을 때의 반가움은 그리 오래가지 못했다.

Y는 어린 시절의 내 모습을 기억하고 있었든지, 아니면 크게 자라지 못한 지금의 모습을 보고 그랬는지 알 수는 없지만, 대놓고 내 키가 작음을 빗대어 '존만아'라며 내 이름을 대신했다.

오랜만의 만남이고 여러 동기가 모인 자리에서 얼굴 붉히며 큰소리 내지 말자며 그날은 참고 넘겼는데, 다음 모임에서도 Y는 내게만 그러는 게 아니라 나와 키가 비슷한 A를 함께 싸잡아 예의 그 별칭을 스스럼없이 사용했다.

그러다 보니 어느새 '존만아'는 Y뿐 아니라, 키가 큰 동기들이 자연스럽게 키 작은 우리를 지칭하는 말이 돼버렸다,

그 별칭이 듣기 싫다고 해도 그만두지 않을 바에야 아예 그러려니 하면 제풀에 그만 부르려니 했는데, 그날은 참지 못하고 말았다.

"존만아, 존만아라고?

내 키 크라고 밥 한술이라도 떠먹여 준 적 있다고 그런 소리하나?"

'듣기 좋은 꽃노래도 한두 번'이라고 했는데, 꽃노래도 아니고 나를 깔보고 낮춰 부르는 말이 듣기 좋을 리 만무했으면서도 용케 참았던 화가 한꺼번에 터진 것이다.

내 반박이 의외였든지 Y가 얼떨떨한 표정으로 변명하듯 "농담도 못 받아들이나?"며 그동안 했던 제 말이 농담이고 장난이었다고 했지만, 금방 분이 풀리고 그동안 쌓였든 앙금이 아무렇지도 않은 듯 그냥 가라앉는 건 아니었다.

최근에는 Y를 거의 만나지 않지만, 나를 여전히 '존만아'로 지칭하는 다른 키 큰 동기는 만난다.

나는 키가 훌쩍 크고 정수리가 훤히 보이는 늙은 동기에게 막걸리를 따라주며 속으로 말한다.

"여든을 바라보는 나이에, '존만'이라 부르면 어떠냐? 할배, 아프지 말고 오래 살자"

2019년 연말 근황

칠십 넘긴 친구들 만나자마자 술잔 부딪치며
월급쟁이 하는 내게 묻는다
아직도 일하러 나간다며?
일하는 데가 어디냐?
월급이 얼마냐?

시큰둥 대답 대신 훌짝 술잔 핥는데
저들 마음대로 답한다
못 받아도 삼백은 너머 받겠지
경력이 있는데 그것밖에 안 될까?
그럼, 토요일 일요일도 안 쉰다는데 그보다야 많겠
지,

남은 소주 털어 넣고
내가 답했다

이 나이에 일할 데가 흔하냐?
삼백이 뉘 집 개 이름이냐?
늙은 영감쟁이 받아 주는 거
고맙게 생각하고
주는 대로 받는다.
놀고먹을 수도 없지만

그럴 형편이 아니니 나오라고 할 때까지 나가야지

한 잔씩 털어 넣은 친구들 맞장구친다

맞다, 놀면 뭐 하나,
돈이 문제가 아니라 집에서 뒹굴면 사람 꼴 엉망된
다.
나도 일할 데 있을지 알아봐 줘라

이십 수년 전 회사 깨 먹기 전
막내 여직원 월급보다 적게 받아도
군말하지 않고 몇 년 더 버텨야 하는데,

내년 이맘때는 어떤 모습으로 친구들 만날지
금방 가버린 오늘이 아쉽다

올해가 겨우 하루밖에 안 남았다

* 2019년말 근황이라 했는데, 2024년 새해를 맞은 지금도
  직장에 다니고 있다. 쉬는 친구들에게 자랑하려는 게
  아니라 벌어서 먹고살아야 하니 건강할 때까지, 그만
  두라고 할 때까지 다닐 작정이다.

오늘 한 일

가을 끄트머리에 매달려
대롱대는 오늘,

달력 한 장 뜯어내자
올 때 그랬듯
돌아보지도 않고 싸락눈 묻은 계절 속에 숨었다

꽃보다 먼저 시든 이파리
바람 불 때마다 서걱대는
꽃대만 남은 화분 정리했다

꽃이었던 꽃잎 눈물 되어 흩어지고
꽃이 되지 못한 봉오리들
울음 머금고 있다

마른 흙 헤집고
가리늦게 고개 내민 움
울음 울 기력도 없어보였다

註: 가리늦다-'뒤늦다'의 경남 방언

거짓말

구십 훌쩍 넘은 노모
너무 오래 살아 미안하다고 하신다

창밖 하늘이 파랬다

열일곱 살 때의 한 반 친구
굵고 짧게 살 거라 장담했다

일흔 살 넘겨 사는 그 친구
굵고 짧은 게 뭔지 깨달았을까

일상이 소설小說 이거늘

살아온 이야기
책으로 묶으면 열권도 더 될 거다
노모의 한탄이다

사는 게 소설인데
구십 넘겨 사셨으니 열 권이 대수겠수?

열 살 먹은 애는
열 살 만큼의 소설 한 권 너끈할 테고

스물 넘긴 사람
두 권도 더 되는 사연 갖고 있을 터

이래저래 따져보니 열권으로 부족했던 노모
사연 하나 더 보탰다
발 헛디뎌 넘어져 고관절 골절로
응급실로 실려 가 수술 중이다

어머니의 치매 전조

치매 증상이 있는 것 같으니 진료받아보자고 하면 '나는 그런 병하고는 거리가 먼 사람'이라며 역정 내시는 노모의 푸념이 잦다.

몸이 편찮아 보이는데도 어디 아프다는 내색하지 않고 끙끙대다가, 정 참지 못하면 혼자 병원에 다녀오시곤 할 정도로 정정하시지만, 금방 했던 일은 기억하지 못하면서 오래전 일은 또렷이 기억해 내어 구구절절 털어내시는 걸 보면 치매 증상을 의심하지 않을 수 없다.

사람 구별하여 병이 옮을 리 없다는 걸 모르지 않으면서도 짐짓 나만은 예외인 척하시는 모습이 딱하다.

지금도 치매 검사받아 보자는 말이 목구멍으로 넘어오려는 걸 간신히 참는다.

혼자 병원에 다녀오시면서 처방 약을 지어오셨는지, 평소 드시던 혈압약 따위가 아닌 다른 약을 드시는 걸 보고도 모른 체 하면서, '나 같은 불효자도 없을 거라'고 자책도 한다.

아들의 속마음을 알 리 없는 노모는 혼잣말하듯 푸념을 늘어놓는다.

"우리 아버지, 어려운 형편에 어떻게 딸자식들 공부시킬 엄두를 냈는지 몰라, 소학교에 입학하고 보니 여학생이라고는 딸랑 3명이더라구. 언니와 같이 입학했으니까, 3명이지, 언니가 없었더라면 2명뿐이었을 거야. 그 언니, 세상 떠난 지 60년도 더 되었는데, 나는 왜 이리 오래 사는지 모르겠다."

연극 대사 외우듯, 토씨 하나 바꾸지 않고 풀어내는 이야기는 몇 번이나 들었던 뻔한 이야기여서 듣는 둥 마는 둥 하는 내게 노모가 역정을 내셨다.

"내 말이 듣기 싫냐?"

"듣기 싫은 게 아니고, 몇 번이나 들어서 다 아는 이야기라서,……"

내 핑계가 끝나기도 전에 노모가 짜증을 내셨다.

"내가 언제 이야기했다고 그러냐? 나는 이야기한 기억이 없다. 괜한 사람 바보 만드냐?"

"들었으니까 들었다는 거 아니오. 그다음이 무슨 내용인지 이야기해 볼까요? 반에서 구구셈 제일 먼저 외웠다고, 일본인 선생한테 칭찬받았다면서요?"

놀란 듯 눈을 크게 뜨신 노모,

"그래, 내가 이야기했다 치자, 그렇다고 대놓고 제 어미 말 듣기 싫다는 게 잘하는 짓이냐?"

"듣기 좋은 꽃노래도 한두 번이라고, 매번 같은 이야기를 하니까, 그러는 거 아니요."

"그래, 같은 이야기를 했다고 치자. 그래도 그렇지, 제 에미 이야기 듣기 싫다는 자식, 이 세상에서 너 말고는 없을 거다. 이런 자식한테 얹혀사는 이놈의 팔자, 빨리 죽어야지, 왜 이리 오래 사는지 모르겠다.

신세 한탄 더 듣지 않아도 역시 전에 했던 말 그대로일 테니 자리를 피해 밖으로 나온 김에 멀리 떨어져 사는 여동생에게 전화해서 사정을 털어놓았다.

형편이 좋지 않은 오빠의 사정을 알면서도 모른척하던 여동생이 당분간이라는 조건으로 어머님을 모셔간 지 사흘도 지나지 않아 어머님이 병원에 입원했다는 소식을 전했다.

몇 년 전 뇌출혈이라고 진단받았으나, 당장 수술해야 할 정도가 아닐뿐더러 노령이어서 수술 후유증이 염려된다며 처방한 약으로 버텨오신 것인데, 갑자기 상태가 나빠진 것인지, 그곳 병원에서도 상태가 나빠서 수술 외에는 다른 방법이 없지만, 고령이어서 마취에서 깨어나지 않을 불상사가 염려되어 선뜻 집도할 의사가 없다고 했다.

진통제 효과 덕분인지 사흘 만에 퇴원하신 어머님은 집에 있는 게 무료하니, 근처 노인 주간 보호 센터에 나가시겠다고 해서, 타지역 거주자가 입소할 때 소용되는 서류를 떼 보냈다.

어머님이 고관절 골절로 수술 중이라며 여동생이 전화했다. 주간 노인 센터에서 일과를 마치고 나오면서

마루에 있는 공을 발로 차다가 넘어졌다고 했는데, 심한 골절로 수술은 했지만, 안정될 때까지 수발할 형편이 아니니 어머니를 모셔가라고 했다.

장남이자 아들이라곤 나밖에 없으니, 어머니를 내가 모셔야 하는 게 도리여서 아내와 의논도 하지 않고 여동생의 말에 따랐지만, 도저히 집에 어머니를 모실 형편이 아니어서 어쩔 수 없이 요양원에 입원하는 걸로 결정했다.

(나이 든 사람의 사망 원인 중에 고관절 골절인 경우가 많다는 말을 들었다. 게다가 요양병원에 입원해서 홀로 지내는 것 역시, 노인의 수명을 단축한다고 했는데. 마침 유행한 코로나 19로 요양병원 입원자의 면회마저 제한하는 바람에 가족과 만나지도 못하는 고립감에 어머니의 치유가 늦어지고 끝내 사망으로 이어졌을 거여서 큰 죄를 지었다는 죄책감에서 벗어날 수 없다.)

횡재

입지도 않는 헌 옷가지들
왜 끼고 있는지 모르겠다는
아내 지청구 못 들은 척
서너 해 전 쑤셔 박아뒀던 골덴바지 펴본다

군데군데 골이 뭉개져 고동색인지 똥색인지,
한번 입어나 보자며 두 발 디밀어 꿰입었다
세월 묵은 냄새
헐렁한 가랑이 사이로 빠져나왔다

느슨한 허릿단 추켜 올린 후
바지 주머니에 손 넣었다
종이 같은 게 손에 닿아 얼른 꺼냈다

반으로 접고 또 반 접은 초록색 지폐
만 원짜리 한 장이었다
이게 웬 떡이냐
소주 몇 병 값 그저 생겨 기분 좋았다

내일이나 모래 쯤
다른 옷들 주머니 뒤짐 할 생각 굳혔다

골덴 [코르덴: corduroy] 바지

하찮은 물건이라도 손에 들어 온 건 쉽게 버리지 못하는 버릇은 물자가 귀했던 어려운 시절을 겪은 우리 세대 대부분 사람의 습관인 것 같다.

나 역시 쓸모없는 물건인 줄 알면서도 쉽사리 버리지 못하고 끼고 있는 게 한 두 가지가 아니다.

그렇게 처박아 뒀던 옷가지를 어쩌다 꺼냈을 때, 이젠 버릴 때가 됐으니 버릴까 하고 망설이다가 다시 있던 자리에, 아니 더 깊숙한 곳에 넣어두는 버릇 역시 쉽사리 버리지 못한다.

아내는 나의 그런 행동에 어김없이 잔소리한다.

"그러게, 제대로 된 거 하날 사 입을 거지, 싸다고 덜컥 사놓곤 입지도 않고 처박아 두는지,"

나는 옷을 살 때면 가격을 따지는 편이다.

원단 수출업과 셔츠, 바지 등 의류 제조 수입 판매로 평생 살다시피 했으니, 의류의 원가를 대략 알 수 있어 선뜻 옷을 사 입는 게 주저되는 것이다. 그러다 보니 옷값이 비싼 백화점이나 전문 판매점보다 인터넷이나 티브이에서 판매하는 싼 옷을 사게 된다.

인터넷이나 티브이에서 판매하는 옷은 대게 2~3벌, 심지어 5벌까지 묶음판매 할 경우가 있으며, 마음에 들지 않는 색상의 옷도 따라오게 된다.

아내 말대로 마음에 드는 색상으로 1벌만 사면 될 걸, 싸다고 입지도 않을 여분의 옷까지 사고 말았으니, 따져보면 전문 매장에서 마음에 드는 1벌의 옷을 사는 것보다 더 비싼 옷을 사고 만 것이다.

나도 인터넷이나 신문 광고 등을 이용해서 옷을 판매한 경험이 있기에 판매자가 옷을 몇 벌씩 묶어 파는 건 소비자가 싸다고 느끼게 하는 판매 수법이라는 걸 안다. 그러면서도 아무 생각 없이 옷을 산다.

그렇게 색상이 마음에 들지 않아 입지 않을지도 모를 바지를 구매했을 때는 길이를 줄이기 위해 세탁소에 수선을 맡기고 돌아 나오면서 괜한 짓 했다고 후회도 한다.

어느 날, 샀다가 입지도 않고 서랍장에 처박아 뒀던 바지를 뒤적이며 입어 볼까 하고 망설이던 중에 더 안쪽에 있는 골덴바지가 눈에 들어왔다.

오륙 년 보다도 훨씬 더 오래전에 입었던 바지라고 퍼뜩 기억이 떠올랐으며, 여태 버리지 않은 게 의아하여 꺼내어 펼쳐 보았다. 골이 뭉개지고 색이 바래서 우중충하여 낡은 티가 났지만, 원래 진한 고동색으로 즐겨 입었던 바지가 분명했다.

지금 입으면 어떨까 하고, 흘깃 거실에 있는 아내의 눈치를 살피면서 얼른 바지 가랑이에 발을 꿰었다.

잡냄새 따위가 나지 않게 서랍장 바닥과 옷가지 위에 신문지를 깔고 덮어 보관했지만, 오래 처박아 둔

옷의 눅눅한 묵은 냄새를 잡지 못했는지, 솔솔 풍기
는 냄새를 맡으며 허리춤을 치켜올린 후, 주머니에
손을 넣다가 뭔가 잡혀서 꺼내 보았다.

손에 잡힌 건 꼬깃꼬깃 접은 만 원짜리 지폐였다.

오래전에 골덴바지를 꺼내 입은 김에 근처 가게라도
다녀올 생각으로 방에서 나오다 마주친 아내의 지청
구에 바지를 벗어서 있던 자리에 다시 집어넣으면서
만 원짜리 한 장을 꺼내는 건 까먹었던 모양이다.

내 바지에 내가 넣은 내 돈이 분명하건만, 횡재라도
한 듯 기분이 좋았다. 그럴 리 없겠지만, 혹시 다른
옷의 주머니에도 돈이 있을지 모른다는 어이없는 생
각이 들었다.

언제 입을지 알 수 없는 오래된 옷을 버릴 생각은
여전히 하지 않은 채,

시집詩集 만든 사연

흩어져 있던 것들 한데 모았다
구슬인 듯 구슬 같지 않은
울퉁불퉁한 것들
모아놓고 보니 버리기엔 아까웠다

묻은 때 적당히 닦아내고 실에 꿰었다
팔찌 같기도
목걸이 같기도

멋을 아는 사람 거들떠보지 않을 듯.

아는 사람들에게 물어보고 싶었다
어떠냐?
구슬 닮았니?

감정사 아닌 그들 뭐라 답할지,

내 시는 통속적이지만,

1.세상에 널리 통하는 일반적인 풍속이 아닌,
2.비전문적이고 대체로 저속하며 일반 대중에게 쉽게
통할 수 있는 일을 通俗이라고 사전이 풀이했다

대중에게 쉽게 통할 수 있다는 데도
대체로 저속하다는 바람에
시 쓰기가 찜찜하고 거북하다

현대 시라 할까, 요즘 시詩가 어떤 건가 하고
몇 편 읽어 봤더니
이건, 도대체 뭘 하자는 건지
우리말이 원래 그리 어려운 건가 하는 생각만 든다.

기름에 바싹 튀긴
우리말 꽈배기의 난잡하고 애매한 행간
평자評者는 어떤 맛을 느꼈을까?
식용유 맛인지.
밀가루 맛인지
어쩌면 겉에 붙은 설탕 맛만 봤을지도 모르겠다
그렇다면 평자가 아니라 탱자다
덜 익어 신맛만 나는,

책 만든 바보의 독백

내가 바보라는 생각이 든다
치매는 아닌 것 같고
그렇다고 정상이 아니니
바보가 아니고 무어겠냐?

끄적끄적 시 비슷한 거 몇 줄 써 놓은 거 하고,
소설도 아니고
산문도 아니고
그렇다고 수필도 아닌
잡문 몇 장 끄적거렸던 거 모아서
자비 출판 책 만든 것까지는 좋았는데,

무어 중뿔난 거라고 자랑하려 했을까?
자랑도 지나치면 바보짓인 줄 모르고
돈 벌기 힘든 거 아는 나이에
무슨 배짱으로 책 서른 세트 발송해 주시오 하고
출판사에 책값 송금했을까?

송금하고 한 시간도 지나지 않아
내 글 이해할 서너 명에게만
책을 보냈으면 좋았을걸,

변기 걸터앉아 두어 장 뒤적거리고 말 친구들
시집이 가당키나 할지 후회막급이다

일 년 넘게 혼술할 수 있는 술값 날리고
마시지도 않은 술 취했으니 어쩌면 좋냐?

웃기는 시 쓰고 싶다.

옛날이나 지금이나
시 읽는 사람 몇 되겠냐마는
그나마 몇 안 되는 사람
시 읽으며 키득대는 모습 못 봤다

세상만사 웃을 일 없으니까
덩달아 우스운 시 못 쓰는지
웃기는 시어^{詩語} 찾지 못하는 건지
알쏭달쏭 알 수 없다

남 다 겪었을
깨진 사랑 이야기
두고 온 고향 이야기
그런 이야기 속에도 우스운 일 있으련만,

한 수라도 웃기는 시 쓰고 싶다

시집 낸 핑계

교과서에 실린 몇 수의 시(詩)를 가르치면서, 국어 선생님은 겉으로 본 시어(詩語)를 본대로 해석하는 게 아니라 시를 쓴 시인의 감정, 시대적 배경 따위, 여러 조건을 이해해야만 시를 제대로 감상하는 것이라 했다.

국어 선생님은 당시 국어 교과서에 실린 어떤 시를 쓴 유명 시인의 제자라고 했으며, 지역의 시인 모임에서 활동하는 시인이라 했다.

선생님의 자작시를 한 편도 읽어 보지 못했지만, 가끔 수업 중에 예시로 시를 읊는 모습 등에서 시인의 모습을 느낄 수 있었기에 은연중에 선생님과 같은 시인이 되고 싶다고 생각하기도 했다.

시인인 국어 선생님처럼 되고 싶다는 욕망만으로 시를 쓰고 싶은 마음이 생기고, 그 마음대로 시를 쓰는 게 가능하다는 건 엉뚱하단 걸 알면서도 나는 시인 흉내를 내고 있었다.

사회생활을 하면서 시와 멀어졌다.

심중(心中) 깊은 곳에서는 뭔가 쓰고 싶은 욕망이 꿈틀거렸지만, 언감생심(焉敢生心) 밥벌이를 위한 생활은 글쓰기를 쉽게 허락하지 않았다, 아니, 벌이가 먼저라는 핑계로 글 쓰는 걸 미루고 있었다.

 너무 오래 미뤘던 글쓰기는 컴퓨터를 사용하면서 시작되었다.
 전원 켜는 걸 두려워할 정도로 컴퓨터에 대해 무지했으면서도 밥벌이 때문에 컴퓨터를 배우면서 그림도 그리고 글도 쓸 수 있을 정도가 되었다. 그렇게 시작된 글쓰기가 잊고 있던 시심(詩心)을 깨웠다.
 시(詩)작법을 제대로 배운 적이 없어서 내가 쓰는 게 詩인지 자신이 없었지만, 나만 좋으면 그만이라는 생각으로 떠오르는 시상(詩想)대로 몇 자 끄적일라치면 이내 뒤를 이을 싯귀가 떠오르지 않을 정도로 시에 대한 역량은 부족했다. 그럼에도 틈틈이 끄적이다 보니 제법 많은 게 모인 걸 알았다.

 터무니없는 욕심이 생겼다.
 제대로 된 시 한 수를 짓기 위해 유명한 시인들이 기울인다는 노력과 정성은 나와 무관한 갓이었으니 나는 생각나는 대로 쓴 것, 날것 그대로인 것을 모아 시집으로 만들었다.

 가까이 지내는 몇 명의 친구에게 시집을 보내고 곧 후회했다. 과연 그들이 시를 읽기나 할 것인지, 그리고 내가 쓴 걸 시라고 인정이나 할 것인지, 그런 걸 따져보지도 않고 내 맘 내키는 대로 보낸 시집을 받은 친구가 어떤 생각을 할지……,

꽤 유명한 시인이 친구 집에 놀러 갔다가 자기의 시집(詩集)을 친구가 라면 끓인 냄비 받침으로 사용하는 걸 보고,

'내 시가, 내 시집이 저렇게 유용하게 사용되는구나.'

하고 좋게 생각했다고 했으니, 나도 내 시집이 어떤 대접을 받을지 따위를 따지지 않기로 하겠다.

술 마실 핑곗거리도 많다

천 장사 해 봐서 쪼끔 아는데
폴리에스테르 원단은 줄지도 않고 늘어나지도 않아

그런데
작년에 잘 입었던 바지가 자꾸 밟히는 거야

기장 줄이러 갔더니
나이 먹어 늙으면 키도 준다고
세탁소 아주머니가 알려 줬어

겨우 160 몇 cm 넘겨
학창 시절 내내 앞번호 받고 산 것도 분한데
남은 생 160cm 간당간당하게 살라니……,

바지 줄이는 사이
세탁소 옆집 옛날식 통닭집에서
5,900원짜리 닭 한 마리 튀겨 안주 삼아
6,000원 주고 1000cc 생맥주 한잔 마시니
까짓 내 키가 150cm면 어떻고 180cm면 어떠랴

여태 살았던 것처럼
그리구러 살다가 재수 좋으면

다음 바지 기장 줄일 땐
한우 꽃등심에 소주 한잔할지 누가 알아

註: 천; 실로 짠, 옷이나 이부자리 따위의 감이 되는 물건.

꽃등애

꽃등애 한 마리
국화꽃에 앉아 꿀을 빤다
벌로 보면
벌인 줄 안다.

동호인 계간지에 뽑혀
시 같잖은 시 끄적이며
시인 흉내 내는
나도 꽃등애다.

註 : 꽃등애: 파리목 꽃등애과의 곤충.
　　　　꿀벌을 의태한 파리
　　벌로 : '건성으로'의 방언(경남).

꽃등에 흉내

빨갛게 핀 체리세이지의 꽃향내를 맡고 무언가가 한 마리가 날아왔다.

날개가 보이지 않을 만큼 빠른 날갯짓으로 꽃송이에 매달린 듯한 모습으로 꿀을 빠는 무언가는 T.V 화면으로 봤던 벌새인 듯했다.

너무 빠르고 부산스럽게 날아다녀 그 정체를 사진으로 찍는 게 쉽지 않았다.

그 무엇의 정체가 궁금하여, '벌새 비슷한,'으로 검색한 결과, 벌새는 우리나라에서는 서식하지 않으며, 내가 본 것은 꼬리박각시라고 하는 나방이라는 걸 알았다.

생김새만 보고 그런가 보다 하고 여길 수밖에 없는 곤충이 또 있다.

무리 지어 핀 국화꽃이 시들 즈음이면 어김없이 나타나서 꽃송이에 내려앉아 꿀을 빠는 곤충은 누가 보더라도 꿀벌이라고 단정 짓기 마련이다.

하지만, 그 곤충의 실체는 벌이 아니고 꽃등애라고 하는 파리와 비슷한 곤충이라고 한다.

꼬리박각시 나방이나 꽃등애처럼 생긴 모습으로 자신의 실체를 속이는 건 천적을 속이려고 그렇게 진화

한 것이라고 하니 자연의 생태를 인간이 간섭할 수 없을 것이다.

그런데, 그렇게 태어나지도 않았고, 그렇게 행동하면 안 되는 줄 잘 아는 사람 중에서 자신의 욕심을 채우려고 꼴사나운 행동을 하는 사람이 있다.

좋은 학벌과 높은 지위를 꼬리박각시의 날갯짓만큼 현란하게 사용함은 물론, 꿀벌처럼 일 잘하고 정직하다고 믿었던 사람이 실상은 그런 게 아니었던 사람을 우리는 너무 자주 보았다.

모든 사람이 다 그런 것이 아니어서 다행이라고 생각하다가 문득 내가 꼬리박각시나 꽃등애 흉내를 내고 있지 않을까 하는 생각이 들었다.

시간

시간은 쓸쓸하다
방금 지나간 시간도 쓸쓸하고
더 오래된 시간은
오랜 만큼 쓸쓸하다

쓸쓸한 시간에 찍힌 바람의 무늬를 본다
아무렇게 휘저은 듯
그러나 질서 정연하게 남은
색깔 구분 모호한 흔적

빨강과 흰색이 섞이면 분홍인가
초록과 흰색이 만나면 연두일 게다
속까지 뒤집어 본 흔적으로 남은 시간
검정에 흰색이 뒤섞여 회색으로 남았다

하모니카

친구가 하모니카를 꺼내며 말했다
뒷산에 올라가서 불어보려 하나 샀다

지금 한번 불어 봐라

고개를 흔들며 친구는
불어본 지 오래되어 잘 불지 모르겠다고 했다

줘 봐라 내가 불어 볼게

손바닥에 두어 번 두드리고 나서
'바위고개' 불었다

첫음절 불자마자
외갓집 떠오르더니
노래 끝나기 전에
살아온 날 다 떠올랐다

하모니카와 외삼촌

내가 부는 하모니카 소리를 듣고 멋들어지게 잘 분다고 칭찬할 사람은 없겠지만, 음치에다 박치인 내가 하모니카로 흘러간 유행가 몇 곡 정도를 불 수 있다는 것만으로도 신통한 노릇이라 여긴다.

가장조니, 나장조 따위, 음악 시간에 악보를 조금 배웠지만, 오선 위에 걸터앉은 콩나물 대가리(나뿐 아니라, 내 동기 대부분 음표를 그렇게 불렀다) 위치와 꼬리 개수에 따라 음의 높낮이며 음계(도레미파솔라시도)를 정확히 안다는 건 인수분해를 푸는 것만큼 어렵다는 걸 생각하면 악보도 없이 하모니카를 부는 게 신기하지 않을 수 없는 것이다.

내가 초등학교에 입학했을 때, 큰외삼촌은 고등학생이었다. 입학하기 전에도 외가에 들락거렸듯이 일요일이나 방학이면 외가에 갔던 나는 어느 날 큰외삼촌이 하모니카를 부는 걸 보았다.

그전에는 손수 대나무로 만든 통소를 부는 걸 본 적이 있었기에 하모니카 부는 걸 대수롭지 않은 듯 봤는데, 그런 내 행동이 못마땅했든지, 큰외삼촌이 내게 하모니카를 불쑥 내밀며 불어보라고 했다.

지금은 하모니카를 불기만 하는 게 아니라 빨기도 해야 한다는 걸 알지만, 그런 줄 모르는 나는 그저 후후대며 하모니카를 불기만 했다. 그것도 제대로 소리도 내지 못한 체,

큰외삼촌은 하모니카를 빼앗듯 가져가서 손바닥 위에 두어 번 탁탁 두드리고 난 후 불기 시작했다.

그때 부른 노래가 '바위고개'라는 제목의 노래였으며, 하모니카를 처음 배우는 사람이 쉽게 배울 수 있는 노래라는 것을 나중에 알았다.

하모니카 부는 게 쉽지 않다는 걸 알아차린 내가 호기심을 가진 걸 눈치챈 큰외삼촌이 하모니카 부는 방법을 알려주었다.

도레미, 음계의 위치와 불고 빨아들이는 방법을 배우고 나서 한 이틀 동안 틈만 나면 삐삐거리며 불어대는 통에 외할머니께서 시끄러워 정신 사나우니 동네 밖 둑 위로 나가서 불어라는 꾸중을 듣기도 했다.

여름방학이 끝나기 전에 음계를 쉽게 외울 수 있었던 '주먹 쥐고' 즉, 미미레도도 레레미레도 솔솔파미미 레도레미도를 불 수 있었고, 가끔 음계를 벗어나긴 해도 '학교 종이 땡땡땡' 따위를 불 수 있을 정도가 되었다.

오래전에 언제 넣어 둔 건지 기억나지 않는 하모니카가 책상 서랍에 들어 있길래 무심코 꺼내 불었다. 신기하게도 수영이나 자전거 타는 방법과 같이 한 번 배운 하모니카는 잊어버리지 않고 불 수 있었다.

　하모니카 소리에 질겁한 아내가 한밤중에 옆집 사람들이 듣고 시끄럽다고 항의하겠다는 핀잔에 슬그머니 하모니카를 서랍에 다시 넣으며 혼잣말처럼 변명했다.

"하모니카는 달밤에 불어야 제격이고, 우리 집에서 부는 데 누가 뭐라 그러겠느냐?"

가을 도둑

담장 기대선 모과나무
가을 몇 알 물었다

길 가던 낯선 사내
두리번 둘러본 뒤
재빨리 가을 한 알 땄다

뒷짐 지고 어슬렁 물러가는 사내
가을 냄새 흘리고 있다

모과주 담그기

　모과나무는 사과나무나 배나무처럼 꽃이 예쁘지 않고 열매가 맛나지 않지만, 나무의 모양이나 나무껍질{樹皮}이 볼만해서 그런지 정원수로 심은 데가 많다.

　내가 사는 아파트 단지에는 동과 동 사이 좁은 화단에 모과나무 몇 그루가 있고, 근무지에도 군데군데 몇 그루의 모과나무가 있다.
　정문 근처의 모과나무는 잎이 늦게 피더니 꽃도 핀 듯 만 듯했는데, 언제 맺혔는지 모르게 열매가 매달려 있었다.

　바람이 스쳐 지나가며 이파리를 흔들 때마다 가지 사이에 숨은 듯 매달린 작은 열매는 어느 세월에 크나 했는데, 산들산들 부는 바람이 서늘해지면서 눈에 띄게 열매가 커졌다.

　며칠 전에 봤을 때만 해도 녹색 이파리에 숨은 듯 가지에 매달린 주먹만 한 모과는 늦여름[夏]에 머물러 있더니 며칠 새 어른 주먹 두 개를 합친 만큼 크고 노랗게 가을[秋]을 물고 있었다.
　과일의 무게를 견디지 못해 가지가 축 늘어져 까치발 하면 손에 닿을 듯하다.

익은 것이라도 생으로 먹기에는 부담스러운 모과는 생김새로 보는 것보다 은은하고 향긋한 냄새가 좋아서 가지에 매달린 모습을 보면 따고 싶은 유혹에 빠진다.

아니나 다를까, 길 가던 남자가 모과나무 밑에서 서성거리며 고개를 갸웃대며 가지 사이를 살피고 있다.

남자는 멀리서 내가 보고 있는 줄도 모르고 근처에 사람이 없는 것을 확인하고 까치발을 하고 손을 뻗어 모과를 땄다.

가지를 끌어당겨 모과를 따면서 힘을 줬든지, 다른 가지가 흔들리면서 매달렸던 모과 한 알이 바닥으로 떨어졌다.

남자는 떨어진 모과도 주워 들고 태연히 모과나무 밑에서 나와서 뒤를 돌아보다가 나와 눈이 마주쳤다.

쑥스러움에 움찔하던 남자는 모과를 든 양손을 얼른 뒤로 감추고 멋쩍은 미소를 지으며 내 눈치를 살피더니 이내 돌아서서 슬금슬금 가던 길을 가버렸다.

제철 만난 모과가 풍년이다.

모과를 따가던 남자가 했던 대로 나도 모과 몇 개를 따서 책상 위에 올려뒀다.

퇴근하여 집에 오는 길에 엘리베이트 안에서 모과 향내가 나길래 둘러보니 손잡이 받침대에 모과 두 개가 얹혀있었다.

그러지 않아도 아파트 후문 근처 화단 바닥에 떨어져 있는 모과를 보고 주워서 자동차 뒤 선반에 얹어둘까 생각하면서 지나쳐 왔는데, 누군가는 주운 모과를 엘리베이트 벽면 손잡이 위에 올려둔 모양이었다.

　모과 향을 실은 엘리베이트가 10층까지 올라가는 동안 은연중 오래전 마셨던 모과주 향이 혀끝에 감돌아 슬그머니 모과주를 담그고 싶은 생각이 들었다.
　모과는 술로 담그거나, 청으로 만들어 차로 마시기도 하지만, 만드는 과정이 귀찮아서 작정하고 시도하기 전에는 저걸 언제 해봐야지 하고 벼르기만 할 뿐 쉽사리 손이 가지 않는 걸 잘 알기에 오늘은 생각이 바뀌기 전에 일을 저지르기로 마음먹었다.

벚꽃

사나흘 활짝 뽐내더니
그리움
폴폴 날리며

가지마다 맺힌 꽃잎
향긴 듯 바람인 듯
연분홍 연분홍 털어낸다.

내 젊음도 그랬다
난분분 난분분,
하르르 하르르,

5월

5월이어서 그리운 게 아니고
그리워하다 보니 5월이다

물안개 걷히자 햇발 등지고
강폭 반쯤 그림자 걸어놓은 소나무

담방담방 물수제비 뜨며
솔밭 강 건너가는 바람

기차가 지날 적마다
교각 아래 웅덩이에 여울지는 그리움

징거미 뒷걸음쳐 숨어든 돌 틈
숨어있던 송진내 묻은 5월
눈물 글썽이는 유년의 하루

허물벗기

날 더워지자
배롱나무 허물 벗고
빨간 꽃잎 터트렸다

7년 과거 허물에 남겨두고
쓰르라미 날개 말린다
파란 하늘 묻어났다

샤워기로 물 끼얹었다고
감춰둔 허물 벗겨질까?
김 서린 거울 속 내게 묻는다

註 :허물: 1. 잘못 저지른 실수
          2. 살갗에서 저절로 일어나는 꺼풀
          파충류, 곤충류 따위가 자라면서 벗는 껍질

꽃무릇 (01)

너는 꽃으로
나는 잎으로

아니,
내가 꽃으로
네가 잎으로
이리 긴 세월 살 줄
그때는 꿈에도 몰랐다

꽃 무릇 (02)

열망 뽑아 올렸다
기다린 세월보다
길고 뜨거운 불꽃

이틀은 햇발 더불었고
하루는 흠뻑 비 젖더니
빛바랜 소망만 남겼다

가을 닮은 바람 불던 날
허허로운 기다림 헤집고
다른 그리움 움텄다

엇갈리고 엇갈린 기약
차디찬 계절 넘기면
찬란한 환희 만날까

이룰 수 없는 사랑인 줄 모른 채
속절없이 반복되는 기다림
바람 한 줄기 기웃대다 지나간다

註 : 꽃무릇의 꽃말은 이룰 수 없는 사랑

외로움 남긴 시월

십일월은 또 다른 그리움
야금야금 다가오던 가을
숫제 몸통 들어냈다

계절 거스르다
뒷덜미 잡힌 담장이 넝쿨
담벼락에 바싹 엎드렸다

바람 스쳐 지나갔다
시월 목덜미 움켜쥐고

뒷걸음

가던 길 멈추고
뒷걸음치면
지난 계절로 되돌아갈 수 있을까?

동지 앞뒤 밤은 긴데
창문 흔드는 바람 소리
설핏 들었던 잠 깼다

나뭇잎 구르는 소리
바람이 밤새워
앞선 계절 쫓아내는 소리

주말에 쓴 당찮은 시

나이 많은 내 친구들
만세 외치러 광화문 간다는 주말
나는 집에서 티브이 본다

몸매 좋고 키 크고
게다가 예쁘기도 한 여자 레슬러
역시 예쁘지만 키 조금 작은 여자 레슬러의
목을 휘감아 어깨 너머로 때기장친다

그래, 싸움은 저렇게 하는 거야

점잖은 척,
존경하는 누구 님! 불러 놓고
택도없는 소리도 모자라 종주먹에 삿대질하는
얼척없는 행동 그만두고
레슬링이나 한판 붙어 보시라 권하고 싶다

설핏 해 기울어 티브이도 지겨워진 시간
소주 반병쯤 홀짝거리면서
즐겨 찾기에 모아둔 시詩 읽다가
난들 시 한 편 못쓸까 시심 발동하여
당찮은 시 한 편 끼적인다

註 :때기장치다 : '패대기 치다'의 경상도 사투리

택도없다 : '어림없다'의 경북 지방의 사투리

얼척없다 : '어처구니 없다'의 전남지역 방언.

　　　　(경상도에서도 많이 사용했음)

어떤 시심(詩心)

티브이를 틀면 너무 자주 얼굴을 디밀어 이제는 그만 봤으면 싶은, 애 늙은 가수나 연예인들이 나와서 초등학생도 잘하지 않는 장난질과 잡담이나 하고, 일반 서민이 쉽게 대할 수 없는 음식 따위를 먹으며 우리나라도 부족해서 멀리 외국으로 돌아다니는 모습만 보여준다.

뉴스라고 해서 다르지 않다.

국민 열 올리기로 작정한 듯, 정치하는 사람들이 수시로 내뱉는 쌍소리와 볼썽사나운 모습을 예사로 보여주며 그걸 무슨 특종이라도 되는 냥 시시콜콜 털어놓곤 하니, 그걸 보고 듣자면 짜증도 나고 한심해서 아예 뉴스 따위는 보고 싶지 않은 것이다.

('뉴스 따위'라고 해서 뉴스를 전달하는 앵커들에겐 미안하지만, 나만 그런 생각과 표현을 하는 것이 아닐 것이다. 부탁드리는데, 대중의 상식을 벗어난 행동을 하는 사람, 특히 정치인들의 같잖은 말이나 행동을 뉴스라는 말로 포장해서 방송하는 걸 삼가해 주길 바랍니다.)

세계 테마 기행 같은 외국 풍물을 보여주는 것이나, 자연 다큐멘터리를 즐겨 보는데, 그것도 전에 보여주었던 프로를 자주 재방송해서 다른 데로 채널을 돌리다가 우연히 보게 된 레슬링 경기 프로를 자주 본다.

레슬링 경기는 미리 짜 논 각본대로 움직이는 느낌이 들지만, 승패 따위는 나와 상관없으니 아무 생각 없이 그냥 볼 수 있어서 부담이 없다.
그러다 싫증이 나면 컴퓨터 켜서 아무거나 보다가 마침내 즐겨 찾기에 모인 시(詩) 몇 편 읽는다.
소주도 한잔한다고 했는데, 그건 어쩌다 하는 짓이다.
하긴 소주 한잔 마시고 시를 읽다 보면 나도 모르게 시를 쓰고 싶은 생각이 나기도 한다.
지난 주말도 그렇게 보냈다.

전화통화

서울 살다 낙향한 여자 동기가 전화했다
아침 먹고 숟가락 내려놓을 때 맞춰,

코로나 때문에 친구 얼굴 못 본 지 얼마냐?
동기 물음에
곧 만나겠지
내가 건성 대답했다

며칠 전에 감자 심었다. 내가 얼마나 먹는다고
그 짓 하는지 모르겠다
말과 다르게 자랑하는 느낌 들었다

작년에도 다 나눠줬다며? 좋은 일 하면 복 받는
다더라
응대하며 아내를 쳐다봤다
무슨 전환지 엿듣는 눈치였다

요새는 밭에 일 나간다. 이번 달에는 벌써 백만원
이나 벌었다.
여자 동기의 굽은 다리와 불편한 걸음이 떠올랐다.
재주도 좋다. 누가 우리 같은 노인네를 돈 주고
쓴대?

백만 원 벌기가 쉽잖은 걸 아는 내가 물었다.

사과꽃 피면 꽃 따고, 수정(受精)도 하고, 시골에는
할 일이 많다.
작년에 일당 구만 원 줬으니까, 올해는 더 줄 지
도 몰라.

통화 길다고 아내가 눈총 주는 것 같았다
전화를 끊으려는데 동기가 말을 이었다

택배 부친 거 말하려다 딴 이야기만 했네,
장아찌 몇 가지 보냈다. 고향에서 하던 대로 했
는데, 입에 안 맞으면 그냥 버려라.

고맙다, 잘 먹을게
대답하며 아내가 식사때마다 하는 말이 생각났다
고혈압, 당뇨에는 짜게 먹지 말랬지요?, 김치까지
없앨 수 없어서 내놓긴 했지만, 조금씩 먹어요.

아내의 걱정을 모르지 않지만,
친구의 선심도 뿌리치기 쉽잖다.

초등학교 동기가 보낸 향수(鄕愁)

현관 쪽에서 택배를 두고 가는 소리가 들렸다.

전날 택배 보냈다던 친구와 통화했던 터다.

택배를 뜯어보니, 신문지로 재포장한 무청 시래기 한 다발, 비닐봉지에 따로 감싼 깻잎장아찌, 우엉잎 장아찌, 칡잎 장아찌 등이었다.

비닐봉지를 풀어헤치며 아내가 말했다.

"좋겠수, 이런 걸 보내주는 친구도 있고, 그런데 이거 보내준 친구, 당신 좋아하는 것 같은데?"

"그럴 리가?"

쓸데없는 소리 하지 말라고 손사래 치며 초등학교 여자 동기의 모습을 떠올렸다.

초등학교 때 같은 반이었던 적이 없었던 여자 동기는 어른이 되어, 그것도 아주 나이를 많이 먹은 뒤에 만났다.

거의 30년 전쯤 시작한 초등학교 동기 등산모임에서였다.

한 달에 한 번, 소소한 일상사나 어렸을 적의 이야기를 나누며 가까운 서울 근교 산을 등산했던 동기들은, 많게는 열서너 명이나 되어서 특별히 누구를 더 좋아하고 누구는 싫어하는 그런 감정을 가진 동기는 없을 거라는 게 내 생각이다.

수년 전 그녀는 남편과 함께 전원생활을 하겠다며 서울을 떠났고, 나 역시 뒤늦은 직장생활로 등산모임에 빠지게 되었다. 그러다 보니 정기적인 동기 모임에 나가야 얼굴을 볼 수 있었는데, 그녀는 때맞춰 상경하는 게 쉽지 않다는 이유로 몇 번 동기회에 참석하지 못했기에 그녀를 본 지가 꽤 오래되었다.

특별히 안부를 주고받을 만큼 애틋한 감정 같은 게 없는 터였는데, 어느 날 안부를 전한다면서 전화해서 전원생활의 근황을 알려줬다.

젊은 사람이 많이 빠져나간 시골은 일할 사람이 부족해서 걸음걸이가 불편해도 밭일 따위를 하러 나가서 짭짤하게 용돈을 번다는 따위 일상을 소소하게 늘어놓았다.

이야기가 길어져 은근히 신경이 쓰이던 중에 그녀가 장아찌 몇 가지를 보냈다고 했다.

솜씨는 없지만, 고향에서 어머님이 하던 대로 했으며, 직접 담근 간장이 없어서 시중에서 파는 간장 중에서 제일 좋은 걸 구해서 담갔다는 말을 덧붙였다.

짠지를 밥상에 올리며 아내가 말했다.

"고혈압, 당뇨 환자라, 짜게 먹으면 안 되는데, 당신 친구가 보낸 거라서 버리지도 못하고, 내놓긴 했으니, 반의 반쪽씩 맛만 보시우,

아내의 염려를 모르지 않으나, 친구의 성의를 무시하자니 마음에 걸렸다.

흔히 볼 수 있는 반찬가게에서 손쉽게 구할 수 있는 반찬에 비할 바 없는, 우정과 정성이 들었을 깻잎 한 잎을 젓가락으로 들어 올리면서 그녀의 마음을 떠올렸다.

입안에서 씹히는 깻잎 향에서 고향의 맛이 났다.

그녀가 사는 곳이 고향이 아니긴 하지만, 그녀는 우정으로 깻잎이며 무청 등에 고향을 버무려 향수(鄕愁)를 봉지마다 담아서 보낸 것이다.

친구가 보내준 반찬을 다 먹을 때까지 고향의 골목골목, 시장 거리……,

강변의 둑길을 헤맬 것이다.

9회 말 투 스트라이크 스리 볼

다니던 회사 집어치우고
오거리 뒷골목 끝 허름한 가게 얻어
호프집 차렸던 거래처 박 대리
연말이면 생각난다

둥그런 의자에 탁자 여섯 개뿐인 가게
손님 두엇 받아 생맥주 따라준 후
가스 불에 노가리 굽는 박 대리에게 물었다

아슬아슬하게 살면서
상호까지 저따위냐?

상호가 어때서 그래요?
9회 말 투 스트라이크 스리 볼
얼마나 스릴 있고 흥미 있수?

인생, 스릴과 흥미로 사니?

호프집이 마지막 남은 공 한 개라 했던
몸통만 프로 야구 선수였던 박 대리
언제 관뒀는지 간판 바뀐 지 수년
마지막 공이 볼이었는지 스트라이크였는지,

날씨 끄무레한 연말이면 생각난다

스릴 넘치는 상호(商號)

거래처 염색 공장의 사장 생질인 박 대리는 대구 본 사에서 근무했으나, 근무 태도가 좋지 않아 서울 사무소로 쫓기다시피 옮겨왔다.

몸집이 커서 무슨 운동선수 출신인 줄 알았더니, 운동하고는 담쌓고 사는 대신 덩치에 어울리지 않게 잡기에 능했다.

바둑도 잘 둔다고 했고, 당구 실력도 좋아 사무실 빌딩 지하 당구장에서 자주 내가 당구를 치기도 했다.

직접 확인하지는 않았지만, 거래처 사람들과 어울려 노름한다는 소문이 들리기도 했다.

서울 사무소 소장과 친하게 지내는 걸 알고 그러는 것 같지는 않았지만, 나를 대하는 태도며 행동으로 봐서는 됨됨이가 괜찮은 사람이라고 여겼는데, 내가 보고 느낀 것과는 달리 잡기에 빠져 업무를 소홀히 한다는 것이었다.

본사에서도 그런 행동 때문에 동료들의 눈밖에 벗어 났다고 했다.

그런 그에게 서울 소장은 중요 업무는 아예 맡길 엄두도 내지 않고 잔심부름만 시키고 있었다.

근무 연한을 따지고, 정상적인 업무를 수행했다면 과장 자리를 벌써 차지했을 그였지만, 행실 불량으로 사장에게 찍히다 보니 진급은 언감생심, 회사에 붙여주는 것도 감지덕지라고 소장이 알려주었다.

서울 사무소에서는 착실히 근무하라는 기대와, 사장생질이라고 체면이라도 챙겨주자는 의도로 붙여준 대리 직함은 '개 발에 편자[구족제철 狗足啼鐵]'였다.

그래도 믿느니 가족이라고, 사장은 박 대리에게 동대문시장 거래처의 수금 업무를 맡겼다.

당시만 해도 무자료 거래가 성행했던 시절이라 사장은 믿을 수 있는 몇 거래처와 별도로 거래하고 있었으며 그곳의 수금을 생질에게 맡겼던 것이었다.

현금 만지는 일이라 믿음이 가지 않는 사람에게는 맡길 수 없는 업무라는 걸 박 대리도 아는지라, 처음 몇 달은 착실하게 수금한 돈을 사장에게 전달해서 마음 졸이던 사장을 안심시키더니, 드디어 사고를 치고 말았다.

노름을 하고 싶었으나, 밑천도 부족하고 서울에서만은 참고 지내자고 했던 결심이 무너진 박 대리는 수금한 돈의 일부를 빼내어 노름을 시작했다.

돈을 따려니 했던 제 예상과 달리 돈을 잃게 되자 본전이라도 건지려다 보니 노름의 횟수와 규모가 커지게 되었다.

사장에게는 수금한 사실을 알리지 않고 다른 거래처의 돈으로 돌려막으며 몇 개월은 버텼으나, 금액이 불어났다.

명절이 지나면서 횡령한 돈의 실체가 드러나게 되었다.

미루던 외상값 같은 것은 명절을 앞두고 다 정리하는 것이 그동안의 상 관례였는데, 명절이 지나도 미수금으로 남아있는 게 의심스러웠던 사장이 직접 거래처로 전화했으며, 마침내 박 대리가 수금한 돈을 노름으로 날려버렸다는 사실을 알게 되었다.

노발대발한 사장이 박 대리를 회사에서 쫓아내었다.

퇴직금도 한 푼 받지 못하고 쫓겨난 아들의 신세를 한탄하며 박 대리의 모친이 동생인 사장에게 빌고 빌어 조그만 가게를 얻을 만큼의 돈을 얻어서 장사를 하게 되었다고 했다.

박 대리는 장사 경험 따위는 전혀 없었으므로, 몇 군데 자문을 구하여 시작한 것이 호프집이었다.

통닭집도 겸할 생각을 했으나, 자칫 경험 부족으로 하루아침에 밑천을 홀랑 까먹을 게 두려워 적은 밑천으로 당장 할 수 있는 것을 택했다고 했다.

아는 체면에 개업 인사를 가지 않을 수 없어 소장과 내가 찾은 호프집은 엉성하기만 했으나, 어떻게든 살겠다는 의지와 과거의 잘못을 회개하는 모습을 보여주는 것이 우선이라고 박 대리가 의지를 보였으므로 진심으로 가게가 잘 되길 빌었다.

그곳에서 내가 본 것이 '9회 말 투 스트라이크 스리 볼'이라는 상호였다.

상호가 너무 극단적이지 않느냐는 내 말에 박 대리는 그만큼 절박하다고 했다.

"마지막 하나 남은 공으로 상대방 타자를 잡지 못하면 우리 가족은 다 죽습니다."

'9회 말 투 스트라이크 스리 볼'에서 맥주 한 잔 마시고 돌아 나오니, 눈이라도 쏟아질 듯 잔뜩 찌푸려 어둑어둑한 12월의 하순 하루가 저물고 있었다.

버들 눈_1

올망졸망 고개 디민 꽃망울
한 송이 크게 키우려
나머지 모두 솎아냈다

키우다 보다
꽃망울이 아니고 버들눈이다

정성들여
꽃망울 대신
버들눈 키우는 거
국화만이 아니다

생각도 가지 뻗다 보면
버들눈처럼 택도 아닌 거
빼어 문다

버들 눈_2

어제는 한로寒露였고
떼 기러기 하늘 날며 울음 흘렸다
청명淸明 즈음 꺾어 심은 대국大菊
올망졸망 꽃망울 빼물었다

크게 키울 한 송이 남기고 죄 솎았다

송이 커지고 벙글 날 기다리며
수상쩍은 거 눈에 뜨여
미심쩍어 보고 또 보았더니
꽃망울 아닌 버들눈 키우고 있었다.

속았지만,
버들눈 아니라
버들코가 되기 전에 속은 게
그나마 다행이다

대국, 큰 꽃 보려다가

꽃망울 맺히기 시작했다
한 송이만 남기고 다 솎아냈다
대접만 한 꽃 보게 되려니 기대하고

애지중지 키웠던 꽃망울
버들눈인 걸 뒤늦게 알았다
속은 게 억울하고 분했다

초저녁 맑은 하늘
기러기 열 맞춰 날며 소리 질렀다
"세상만사 여의치 않은 걸 여태 몰랐소?
속 끓이지 말고 달구경이나 하시오"

대국보다 더 큰 둥근 달 웃고 있었다

註 : 버들눈[柳芽]:국화꽃망울 생성 과정의 이상(異狀)
     으로 생긴 일종의 미완성 꽃망울,
     꽃으로 자라지 않으므로 잘라내어야 하나 초보
     자는 꽃망울로 오인할 수 있다.

국화꽃과 버들눈

 버들눈은 국화꽃에만 발생하는 현상이라고 한다.
 고귀한 꽃이라고 추켜세우는 걸 시기하느라 그런 게
생기는지 알 수는 없으나 국화를 재배하는 사람들에
게 골칫거리인 모양이다.
 국화꽃, 그중에서도 꽃이 크고 탐스러운 대국 키우
는 일은 쉬운 일이 아니라는 소리를 들었으면서도 작
년에 이어 두 해째 키우고 있다.
 작년에는 버들눈 현상을 경험하지 못했기에 올해도
당연히 신경 쓰지 않았다.

 한 뿌리에서 뻗은 가지 중에서 3~5개, 원하는 가지
수로 키워 그 가지마다 한 송이의 큰 꽃을 키우는 게
대국 재배의 기본이라 했다.
 봄에 삽목(揷木)해서 키운 모종을 화분으로 옮겨심어
겨우 뿌리를 내려 자리를 잡을 즈음 닥쳐온 무더위와
지루한 장마를 견디더니 건듯건듯 소슬바람이 불어오
자 기다린 듯 녹두 알보다 더 작은 꽃송이를 매달기
시작했다.
 가지 끝마다 매달린 예닐곱 개의 꽃망울 중에 제일
튼실한 것 하나만 남기고 나머지는 다 솎아내어야 제
대로 된 한 송이의 꽃을 볼 수 있다고 했으니, 알려
준 대로 작은 꽃망울부터 솎아내었다.

그러던 중에 위쪽의 튼실해 보이는 꽃송이를 받치고 있는 이파리가 정상적이지 않은 듯해서 말로만 들었던 버들눈일지도 모른다는 의심이 들었다.

자세히 들여다보니 버들잎을 닮기도 해서 다른 잎과 비교해 봤으나 초보자로서는 판단이 쉽지 않아서 일단 좀 더 두고 보기로 하고 나중을 위해 튼실한 다른 한 송이와 함께 남겨두었다.

하나의 뿌리에서 뻗어 나온 4~5개의 가지에서 각각 한 송이의 꽃만 크게 키우는 게 대국 키우기의 기본이라 했지만, 남겨둔 두 송이 중 한 어느 한 송이를 잘라낼지를 결정하는 게 쉽지 않았다.

버들눈일지 모른다는 의심이 떠나지 않는 꽃송이를 잘라내려 했으나, 버들눈의 실체를 모르면서 마음대로 실행하려니 자꾸 망설여지는 것이었다.

결국, 국화를 재배하는 전문가들의 의견이 어떤지 검색해 본 뒤, 그대로 따르기로 했다.

전문가는 꽃망울을 받치고 있는 잎이 버들잎과 닮았으며, 발견 즉시 잘라내라고 했다.

검색했으면서도, 내가 보고 있는 게 과연 버들잎인지 의심과 미련이 남아 조금 더 두고 보기로 했다.

그러나, 시간을 끌수록 남은 꽃송이들과 부조화로 자칫 화분 전체의 모양을 그르칠 수 있다는 전문가의 의견대로 더는 미련 두지 말자면서 잘라내었다.

최근 우리 사회에 큰 문제가 되었던 사건이 생각난다.

겉으로 보기에는 멀쩡하기만 하고, 극히 이지적이고 세련된 모습이어서 뭇사람이 선망하던 사람이, 며칠 동안 매일 한 꺼풀씩 볼썽사나운 실체를 드러내고 있어서 그 모습을 보노라니 세상은 요지경이라는 말에 절로 수긍이 갔다.

그자야말로 국화꽃대 무리에 섞여서 제일 튼실하게 자라고 있었던 버들눈과 닮았다는 생각을 지울 수 없다.

사건이 마무리되지 않았으므로 그자의 결백을 지켜보자는 사람이 많다는 건 알지만, 그래도 국가의 녹을 먹겠다고 자신했던 사람이라면 자기 앞가림은 말할 것도 없거니와 가족도 올바른지 살폈어야 했던 게 아닐까 하는 생각이다.

수신재가치국평천하 (修身齊家治國平天下) 라는 말이 합당한지는 모르겠으나, 어쨌든 집안 관리를 제대로 한 뒤 나라를 다스리라는 말을 모를 리 없을 그자를, 늦었지만, 버들눈 잘라내듯 잘라낸 건 그나마 잘된 일이라 생각하지만, 글쎄 사태가 이상하게 흐르고 있어 자못 불안하다.

대국 키우기

국화 모종을 전문으로 취급하는 농장이 있어 주문하면 잘 키운 모종을 득달같이 배송한다고 했지만, 그런 편리함을 무시하고 꽃송이 하나가 대접만큼이나 큰 대국을 꺾꽂이하여 키우는 건 처음이었다.

오랫동안 국화꽃을 가꾸신 분이 재미 삼아 화분 몇 개로 시작해 보라고 했지만, 어차피 하는 것, 꽃 모양과 색깔이 다른 몇 종류 대국 줄기를 잘라 꺾꽂이했다.

시작부터 고생이어서 괜한 짓 한다는 후회도 했지만, 이왕 저질렀으니 한번 해보자는 생각에 제대로 해보기로 했다.

가을에 꽃 피웠다가 시든 가지를 잘라낸 화분을 따뜻한 곳에 보관했다가 이듬해 봄에 올라오는 새싹을 꺾꽂이하여 온전히 한 포기의 국화로 키우는 것은 재미를 넘어 보람 있는 일이라는 생각까지 들었다.

꺾꽂이 모종을 한 달여 그늘진 곳에서 키우다가 뿌리가 제대로 자리를 잡은 후에 화분에 이식했다.

화분에 묘목을 옮겨심은 후 1주일쯤 지나면 생장점을 따줘야 했다. (摘心이라는 어려운 말을 사용함)

1차 적심은 가지 끝의 생장점을 떼 내는 것이고,

20여 일 간격을 두고 4~5회에 걸쳐서 하는 적심은 곁가지의 윗부분을 자르는 것으로 이 과정은 국화의 키를 좌우하고 가지의 개수를 조절하기도 한다.

국화는 진딧물뿐만 아니라, 해충이 많이 꾄다고 했는데, 낮에는 화분 밑바닥에 엎드려 있다가 어두워지면 줄기를 타고 올라와서 새잎을 갉아 먹는 고약한 벌레 따위, 기생하는 해충이 많다는 것도 알았다.

막 움터서 야들야들한 잎만 골라 형체를 알아보기 어려울 정도로 갉아 먹은 걸 보면 분통이 터지지만, 벌레의 모습을 볼 수 없으니 부득이 독한 농약을 사용할 수밖에 없었다.

화분에 키우는 국화는 물주기도 쉬운 노릇이 아니어서 때맞춰 물 주는 걸 거르면 금방 잎이 시드는 걸 볼 수 있어서 과연 국화를 키우는 일은 쉬운 게 아니었다.

병충해를 피한 국화는 하루가 다르게 자랐으며 여러 개의 곁가지가 생기기 시작했다.

몇 개의 꽃만 볼 목적이었으므로 다 자랐을 때의 모습을 그려보며 쓸모없는 곁가지를 잘라내고 중심 꽃대는 지주대로 묶어 두는 작업을 해야 했다.

곁가지의 형태도 미리 잡아 둬야 했으므로 지주대로 위치와 방향을 고정했다.

물만으로는 제대로 자랄 수 없기에 수시로 비료도 줘야 했다.

무더위는 한풀 꺾였지만, 국화의 성장은 멈추지 않아 부쩍 키 큰 꽃대가 바람에 흔들리는 모습을 보면 행여 꽃대가 부러질까 걱정이었다.

아나나 다를까, 태풍이 바람을 몰고 북상한다는 일기예보에 긴장하지 않을 수 없었다.

실내로 옮겨 태풍을 피하고 싶어도 마땅한 장소가 없기에 화분끼리 붙여놓아 바람에 쓰러지지 않게 하는 방법 외에는 할 수 있는 게 없었다.

그러구러 노심초사하면서 키운 보람으로 꽃망울이 맺히기 시작했다.

가지마다 맺히는 꽃망울은 1개가 아니라 다닥다닥 맺힌 게 예닐곱 개도 넘었다.

하루가 다르게 자라는 꽃망울은 자기들끼리 간격을 유지하는 것 같지만, 다 키우면 꽃송이가 작게 되어 대국으로서의 이름값을 할 수 없기에 튼실한 것 한 송이만 남겨두고 나머지는 모두 솎아야 했다.

꽃망울이 채 자라기 전에 솎는 게 마음이 편하다. 며칠 미룬 사이 훌쩍 커진 꽃망울을 떼려면 아까워서 어느 것을 솎을지 망설이다 보면 기어이 두어 개의 꽃망울을 남기고 만다.

버들눈이라는 고약한 현상도 피하고 어느새 크고 소담하게 자란 꽃송이는 자칫 목이 꺾어질 수도 있으므로 꽃송이를 받칠 게 필요하다. 철사를 구부려 동그랗게 꽃송이보다 좀 작게 만든 것을 받침대로 사용하

는 게 좋은 방법이어서 그렇게 꽃송이를 고정하고 나
서야 제대로 활짝 핀 꽃을 감상할 수 있다.

가을 태풍만 제대로 피한다면 서리가 내리는 12월
초겨울까지 모양도 다르고 색깔도 다른 여러 가지 꽃
을 볼 수 있다.

거의 여덟 달 끝에 맺은 꽃은 관리를 잘하면 한 달
이상 볼 수 있지만, 비나 서리를 맞아 꽃송이가 얼게
된다면 이내 시들어 버리고 말아, 그걸 보면 까짓거
저걸 보자고 그동안 쓸데없는 고생만 했냐는 생각도
들지만, 한편으로는 일상(日常)이 다 그런 고생의 연
속이라는 위안(慰安) 같잖은 위안을 한다.

욕이라도 해야

바라지도 않았지만
티브이 중계 보고 나니
괜히 봤다 싶고
욕해 뭐 하나 참자니
속만 부글거린다

링링인지 뭔지 지랄맞게 바람 불어재끼더니
기어이 대국大菊 모가지 서너 개 꺾어놓았다
모종 내어 입때껏 정성들여 키웠건만,

어제 미뤄뒀던 거까지 보태
절로 욕이 나왔다

'문디이 가튼 거,
세가 만발이나 빠져버려라'

문디이 가튼 거,

 가능하면 정치적인 이야기는 시의 소재로 다루지 않으려 했었는데, 언제부턴가 정치하는 사람들의 행동에 반감과 멸시가 느껴지기 시작하면서 그들에 대한 반발심이 슬며시 고개를 들기 시작했다.
 그들에게 대놓고 삿대질할 용기도 없거니와 깜냥이 되지 않는 걸 잘 알기에 그냥 슬쩍 비꼬는 정도이지만, 딴에는 거리로 뛰쳐나가서 태극기를 흔들거나 촛불을 드는 것과 비교할 수 없더라도, 그래도 어느 정도의 의사는 표현하고 있다는 생각이다. ('이불 덮어쓰고 만세 부른다'라는 게 맞는 표현일 거다.)

 자연적으로 발생한 태풍에 대놓고 욕지거리해 봐야 내 입만 아프지만, 요즘 돌아가는 정치판도 나 같은 잡초가 떠들어 봐야 '쇠귀에 경 읽기' 정도도 안 될 것이다.
그러함에도 태풍에 모가지가 꺾인 대국의 지지대를 손보다가 어제 봤던 청문회가 떠올라서 싸잡아 욕지거리를 씨부리고 말았다.

'문디이 가튼 거,
세가 만발이나 빠져버려라'

'문디이'는 문둥이, 즉 나병 환자를 일컬었으며, 어렸을 때, 우리 고장에서는 상대를 얕잡아 보고 빗대어 표현하는 욕으로 사용하기도 했다.

요즘 이런 욕했다가 상대를 잘 못 만나면 맞아 죽을지도 모르니 조심해야 한다.

한편, '문디이'는 어떨 때는 애들이 귀엽고 예쁜 짓을 했을 때도 사용했다.

"아이구, 요, 문디이같은 거, 우째 요리 예뻐냐?"

어렸을 때 들었던 어른들이 했던 말이 그립다.

'세'는 혀를 뜻하며, 발음을 강하게 하는 경상도식 사투리가 '세'가 되었을 것이다.

그 혀가 한 발도 아니고 만 발이나 빠지라고 했으니 얼마나 심한 욕인가.

너무 심한 듯해서 삼가해야 할 말이지만,

'만발이나 빠져라'하고 점잖게 말하는 것보다 ' 만발이나 빠져 뒈져라'라는 말을 더 많이 사용했다.

별똥

지구도 생명체고
별[星]도 생명체라 했다

방금 떨어진 저 별똥
똥이 아니라
우주 어느 곳의
국회의원이거나
도지사일 수도 있겠다

아니면
대장동의 키맨(key man) 일지도,

고추보다 백배나 더 매운,

고추 꼭지 따는 늙은 농부에게 물었다
"안 매우셔요?"
"맵지, 맵고말고."
"꼭지째 팔면 안 되오?"
"요즘 사람들 편하게 살려고
꼭지 달린 고추는 거들떠보지도 않는다우."

"그렇다고 이 많은 고추를…,"
"말 마소, 고추보다 백배나 더 맵게 살았는데,
이까짓 거야,"

재능

제 재능이 뭔지 모르는 사람이 많다
지리산의 알까기 도사가 그렇고
중학생과 고등학생의
컵을 옮기는 무슨 기술의 달인들도 그렇다

같잖은 시 몇 편 써 놓고
시인이라 껍죽대며 시인 흉내 냈던
나는
아까 마신 술이 확 깼다

내 재능을 과대평가한 내 잘못에
엎드려 숨죽여 반성하다가
대선 후보자들,
아니, 국정을 책임진 국회의원들과
나라 관리들 하는 꼴이
하찮은 내 싯귀 보다 더 꼴갖잖다는 걸 알았다

국민 안정 책임지겠다는 정치가의
헛된 공약보다 몇 배 더
내 싯귀가 정직한 거
소주 두 병 마시고도 증명할 수 있다

그게 내 재능이다

신년

말만 신년이지
어제 그대로다

오가는 사람들
여전히 마스크 쓰고 있고

골목 빠져나온 바람
어제만큼 차다

2022년 1월 31일(음력 섣달그믐날)

정의로운 듯,
정의롭지 않은,

사실인 듯,
사실이 아닌

오늘 다음은 내일이라는 것 외
모든 게 뒤죽박죽이던
그런 한 해
한 달 전에 끝난 게 서운해서
새해 한 번 더 맞는다

인생은 그런 거라고 지레짐작하고
모른척했던 자신이 가여워
음력 섣달그믐
날 저무는 저녁 답
오래전 쓰기를 멈춘 일기장 끄트머리에
외롭고 서글픈 그리움 한 줄 적는다

관상동맥 우회수술 (1)

가슴 여는 수술이라는
의사의 말에
가만히 빌었다

오십 년 넘도록
심장 귀퉁이에서 서성이는
첫사랑 흔적도 치워달라고

관상동맥 우회수술 (2)

오십 년도 더 사용했더니
때 절고 먼지 쌓여,

시급히 손봐서
근 이십 년 버텼는데

이번엔
제대로 수선할 곳이 세 군데란다

티브이나 냉장고처럼
중고품 대체도 안 되어
거금 들여 수리했다

정신 들어 아랫배 내려다보니
헛웃음 나올 만치 볼 만하다

절개한 가슴 삐걱거릴까 봐
스테이플로 고정했다는데
핀 무게로
몸무게 1킬로그램 늘었지 싶다

외할머니의 꿈

사는 게
왜 이리 빡센지 모르겠다.
다음 생에는
새[鳥]로 태어나고 싶다
들로 산으로
맘대로 날아다니는,

그러던 외할머니
꿈을 바꿨다

꼴랑 물 한 모금 마시면서
요 눈치 조 눈치 살피는 거 보니
새도 편하게 사는 게 아닌갑다

그럴 바엔
눈 딱 감고
살던 대로 살란다

註 : 빡세다 : 형용사 (속되게) 하는 일이 힘들고 고되다.
              '세다'의 방언 (강원)
       꼴랑 : 부사 '겨우'의 방언 (경남)
       ㄴ갑다 : '-ㄴ가 보다'의 방언(전라).

어이없고 느닷없는,

불현듯 떠오르는 아득한 시절 이야기를 들먹이면
듣던 사람 중 누군가 말했다
"그때, 니가 몇 살이었는 데 그걸 기억하나?
거짓말 아이가?"
"아니야, 정말이야, 그때 작은 외삼촌도 같이 있었
어,"
　혹은,
"막내 고모도 봤을걸?"

고모나 작은외삼촌은 내 말이 거짓이거나,
정말임을 판정해 주었다.
간혹 어머니가 거들기도 했다.

하지만, 내 말을 거들어 줄
어머니는 지난해 3월에,
막내 외삼촌은 오늘 세상을 떴다.

막내 고모는 살아계시지만,
부러 머나먼 이국에서 귀국하여
내 말 들어줄 형편이 아니다.

작은외삼촌의 느닷없는 부음

밀려드는 안타까움과 슬픔에 뒤따른
'내 어렸을 적 이야기의 진위를 따져줄 사람이 아무도 없다'는
뜬금없이 떠오른 어이없는 생각

부고 문자를 다시 들여다보지만
허망한 외로움만 겹친다.

회상(回想)

막내 외삼촌의 부음을 문자로 받았다.

20여 일 전, 통화할 때만 해도 정정한 목소리로 당신은 잘 지낸다며, 손아래 생질의 건강을 챙기더니, 갑작스러운 부음이 믿기지 않아서 외삼촌 댁 근처에 사는 이종 동생에게 확인 전화했더니 돌아가신 게 사실이라고 했다.

외가는 90세를 넘겨 돌아가신 외할아버지뿐 아니라 윗대 어르신들도 오래 사셨다고 해서 장수 집안이라고 했는데, 77세인 작은외삼촌의 부고는 충격이었다.

매인 몸인 데다, 부산까지 시간 맞춰서 문상가는 게 여의치 않아 상주에게 전화로 조의를 전했다.

뜻밖에 빈소에는 고향에 계셔야 할 여든을 훌쩍 넘기신 큰외삼촌이 와 계셔서 인사를 겸한 말끝에,

"거동도 불편하신데 어떻게 문상을 다니시냐"고 했더니,

"동생의 마지막 모습을 봐야 하지 않겠냐" 고 하셨다.

대화 당사자인 큰외삼촌과 돌아가신 작은외삼촌의 모습에 이어 뻔질나게 드나들었던 외갓집과 근처 전경이 떠올랐다.

서너 명 띄엄띄엄 앉은 승객이 약속이나 한 듯 차창

밖 풍경을 멍하니 내다보고 있는 외가 동네를 지나는 막차를 탔던 날은 초겨울로 접어든 토요일 오후였다.

늘 그랬던 것처럼 걸어갈 생각이었다면, 일찍 출발했을 터인데, 날씨가 차다는 핑계로 버스를 타겠다며 차비를 타내느라고 시간이 걸려 출발이 많이 늦었다.

걸었다면 1시간은 걸렸을 거리를 버스는 출발한 지 15분도 채 지나지 않아 외가 동네 앞 정류소에 도착했다.

버스는 비포장 신작로에 뽀얀 먼지만 남기고 떠났고, 나는 먼지를 피하려 길가의 버드나무 뒤로 몸을 피했다. 줄지어 선 버드나무들은 하나같이 잎을 떨군 채 앙상한 가지들만 차가운 바람에 흔들리고 있었다.

어둑살만 내려앉은 게 아니라 하늘도 따라 내려앉아 건너편 산등성이에 걸려있었다.

산등성이 앞쪽에 펼쳐진 벌판 가운데 옹기종기 모여 있는 동네의 집마다 저녁밥을 짓는지 낮은 굴뚝을 빠져나온 연기가 머리를 잇댄 초가지붕 사이로 나지막이 깔려서 마치 동네 전체를 안개가 감싼 듯했다.

신작로를 벗어나서 동네로 향한 논길로 내려가니, 추수가 끝난 논바닥 군데군데 잘라낸 벼 그루터기에서 때 모르고 돋은 싹이 자라기도 전에 누렇게 색이 바래 찬바람에 흐늘거렸다.

그 아래 무논에서 꽥꽥대는 오리 소리가 들리더니 이어서 한 떼의 오리가 하늘로 날아올랐다.

오리 떼는 폐양어장에 내리려는지 둑 위에서 고도를 낮추더니 이내 시야에서 사라졌다.

그사이 짙어진 땅거미로 외가로 향해 굽어진 골목은 안쪽이 보이지 않을 정도로 어두웠다.

양쪽 집의 초가집 처마와 닿을 듯 낮은 토담 사이, 양팔 넓이 정도의 골목 안쪽 끄트머리 골목이 꺾어지는 외가 뒤란 담에 기댄 듯 서 있는 키 큰 은행나무의 시커먼 모습이 어둠에 잠겨 한층 괴기스러워 보여서 머리가 쭈뼛 서는 두려움을 느꼈다.

은행나무는 집 안에 있으면 불길하다고 외할아버지께서 담 밖으로 옮겨 심은 지 30년쯤 되었다고 했다. 굵기가 어른 두 아름이 넘고 키도 자랄 만큼 자랐으니 머지않아 잘라내어 외할아버지와 동네 어른 몫의 관을 만드는 목재로 사용할 거라는 말을 들었기에, 은행나무를 볼 때마다 관이 떠올랐다. 게다가 나무 밑둥치 근처에 누군가 갖다버린 몽당빗자루와 항아리 따위 질그릇 깨어진 조각들의 을씨년스러운 모습을 보면 몸이 으스스 떨리도록 무서웠기에, 어지간하면 은행나무가 있는 뒷골목으로 다니는 걸 피했는데, 오늘은 무슨 생각으로 불쑥 이리 왔는지 모르겠다면서 눈을 찔끔 감고 후다닥 골목 안쪽을 향해 내달렸다. 좁은 골목에 울려 퍼지는 내 발걸음 소리가 누가 뒤따라오는 소리 같아서 무서움에 심장이 두근거렸다.

뒤도 돌아보지 않고 반쯤 열린 외가의 삽작문으로

들어서니 대청마루 양쪽 기둥에 걸린 두 개의 등잔 불빛에 비친 사람들의 모습이 보여 그제야 마음이 놓여 멈춰서서 숨을 길게 내쉬는 데 외할머니의 목소리가 들렸다.

"이 밤중에 야가 무슨 일이고? 누가 쫓아오나?"

대답하지 않고 다시 대청 위를 휘둘러보니 외가 식구 모두 있는 게 보였다.

마루 중간쯤에서 독상을 차지하고 계신 외할아버지 뒤에 머슴인 재봉 아제 역시 독상 앞에 앉아 있었고, 안방 문 앞에는 두레상에 둘러앉은 두 외삼촌과 외할머니 그리고 막내 이모의 모습도 보였다.

막내 이모가 결혼 전이었고, 작은외삼촌이 중학생이었을 때였으니 오래된 기억이다.

병환 중인 큰외삼촌 외에 모두 저세상 사람이라 생각하니 쓸쓸하고 외롭다.

내기에 지고도

코로나 19로 서너 달 엎드려 있다가
큰맘 먹은 아홉 명의 영감이 모였다
대선 때 야당 의석 맞추기 내기 결산을 미룰 수 없었
다

정확한 의석 맞히기가 아니라
결과에 근접한 의석수를 맞춘 자에게
거금 다 몰아주기로 했다

아홉 명은 기대를 벗어난 결과를 두고
제 나름 소신과 변명이 따랐지만
죽은 자식 부랄 그만 만지자며 모두 승복했다

거금 손에 쥔 친구
제 손에 들어온 돈 제 맘대로 쓴다면서
모임의 여름휴가 경비로 쾌척했다

부정 개표니 어쩌니 변명 늘어놓는
추종자, 낙선자의 동료들 보다
돈 잃고도 박수치고 소주 한 잔 털어 넣는
여든 앞둔 친구들 모습이 보기 좋았다

평생

평생의 길이[長]
뼘으로 가늠해 본다

어제 세상 등진 친구
몇 뼘이나 살았을까?

그 뼘 안에
기쁨은 몇 마디며
슬픔은 몇 마디였을까?

창살 넘어온 햇발 등지고
소주잔 기울이는
문상 온 친구
훤히 드러난 정수리
몇 가닥 흰 머리털이 외롭다

백세 시대

친구 B가 세상을 떴다는 부음을 받았다.

수술할 수 없을 정도로 병세가 나빠졌다는 의사의 진단이 의심스러울 만큼 3개월 전 건강 검진을 받기 전만 해도 친구 B는 건강한 모습이었다.

병원 치료를 포기하고 집에서 요양하는 친구 B의 병문안 다녀온 몇 명 친구가 이구동성으로 조짐이 좋지 않아 보이더라고 했을 때도 설마 이렇게 어이없이 빨리 생을 마감할 줄 예상하지 않았다.

우리 나이가 칠십 대 중반에 접어들었으니, 죽음이 남의 일이라고 무관심한 척할 나이가 아니긴 하지만, 친구의 부음은 곤혹스럽다.

주위를 둘러보니, 꽤 오래전부터 자주 모임을 하는 지인 중이나 또래 동기 중에서 여럿이 세상 떠났는데도 죽음을 그리 심각하게 받아들이지 않았던 건, 설마 내게는 그런 일이 닥치지 않을 것이라는 터무니없는 자신감 때문이었는지도 모르겠다.

백세시대니, 뭐니 하는 세태에 편승하여 제대로 건강을 돌보지 않으면서도 덩달아 100세까지는 아니더라도 그런대로 오래 살 거라는 건방진 자만심 때문에 그나마 제 수명대로 살지 못하는 불상사로 이어질 수 있다는 걸 이번 친구 B의 경우에서 터득했다.

건강 검진을 정기적으로 받았더라면 친구 B의 몹쓸 병은 초기에 발견할 수 있었을 테고, 그랬더라면 치료를 받을 수 없을 정도로 병을 키우지 않았을 거라는 의사의 진단과 우리 의견이 일치하고 보면, 몸에 좋다는 건강 보조 식품 몇 가지를 챙겨 먹고, 하루 만 보 정도 걷는 것으로 아무런 근거도 없이 자신의 건강을 유지할 수 있다는 자신감은 병이 생기는 것과는 무관하다는 걸 알 수 있게 했다.

깨우침과 잘못을 시정하는 행동은 별개인 모양이다. 친구 B의 부재로 모임의 회원들이 한동안 건강관리를 하는듯하더니, 이내 예전대로 되돌아간 모습이다.

모여서 정담을 나누며 술 한잔 건네는 건 그러려니 하겠는데, 세상 뜬 친구를 그리다가 울적해서 저도 모르게 혼자서 술잔을 기울이는 날이 많다면서 거푸 잔을 비우는 건너편 친구와 장단 맞추기로 약속이나 한 듯 주는 대로 덥석덥석 받아 마시는 겁 없는 내 행동은 건강관리와는 거리가 멀다.

흔들리는 전철의 노약자 좌석 한자리를 차지하고 꾸벅꾸벅 졸다가 안내 방송에 놀라 눈을 뜨니 건너편 좌석에 나와 연배가 비슷해 보이는 노인의 모습의 보였다. 딴에는 깔끔하게 차려입고, 그렇게 보이려고 꼿꼿한 자세로 앉았으나, 숨길 수 없는 병약한 노인 행색이 여실하여 내 모습도 저러려니 하는 생각에 정신이 번쩍 들어 자세를 고쳐 앉으며 속으로 다짐한다.

'정기검진이야 지금처럼 빼먹지 않겠지만, 술은 좀 줄이고 운동 열심히 해서 몸 관리 좀 하자. 여태 고생한 아내에게 수발까지 맡길 순 없지 않은가.'

까치집

십 년 부은 청약예금 믿고
임대아파트 청약했다 떨어진 날
함박마을 입구 회나무에서
까치 두 마리
묵은 집 수선한다

갓길 주차한 트럭 지붕에서
두리번 사방 둘러보고
길가로 뛰어내린
까치가 주워 문 나뭇가지
십 년 부은 청약통장보다 값지다.

모기지론

은행융자를 받아 산 집을 담보로 제공하고 사업 자금을 융통했으니 내 명의(名義)의 집이지만, 실상은 남의 집이나 마찬가지였다. (집이라고 했으나 흙 구경하기 어려운 '아파트'가 정확한 말이다.)

부자 부모가 사줬거나, 재산을 상속받아 집을 사는 경우 등이 아니라면 보통의 서민은 전셋집 몇 곳을 옮겨 다니면서 어렵게 붓는 적금이 만기가 될 때쯤이면 집 한 채 장만하고 싶은 욕망이 생길 것이다.

그러나 소형이라도 아파트 한 채 사기에는 적금으로 모은 돈은 턱없이 모자라서 가진 돈보다 더 많은 돈을 대출할 수밖에 없는 걸 알게 될 것이다.

아파트를 사기 위해 일반적으로 이용하는 모기지론은 아파트를 담보로 제공하고 빌린 대출금을 장기간에 걸쳐 상환하는 것으로, 만기가 30년이라면, 빌린 원금과 이자를 갚느라고 거의 반평생을 보내는 것이다.

장기 융자를 일컫는 모기지론(mortgage loan)의 어원이 프랑스어 mort-gage에서 유래되었다고 하는데, mort는 죽음, 즉, 사망을 뜻하고, gage는 저당물, 보증금을 뜻한다고 했으니, 모기지론은 어원이 뜻하는 대로 실제로 죽음을 저당한 건 아니지만, 30년이라는 긴 세월 동안, 어쩌면 죽을 때까지 아파트 융자금의 원금과 이자를 갚아야 하는 것이니, 어원의 뜻을 알고 나면 집 사는 게 망설여질 것이다.

그렇더라도 내 집 없는 생활이 고생스럽다는 건 겪어보지 않더라도 누구나 다 아는 사실이어서 융자를 끼고서라도 집을 장만하려는 것이다.

내 경우도 실제로 전셋집을 떠돌며 어려움을 겪다 보니 내 집 장만이 절실했다.

첫 사업의 실패로 집을 포함해서 모든 걸 털고 난 뒤 다시 벌렸던 사업이 그럭저럭 굴러가는 모양새여서, 얼마간의 이자를 부담하더라도 융자 낀 아파트를 장만하는 욕심을 부렸다.

경기 침체니 불황이라는 말이 들리는가 하더니, 급기야 구멍가게 수준의 내 사업까지 영향이 미쳤다.

세상살이 한 치 앞을 모른다고 했는데, 내 경우가 그랬다. 가까스로 장만했던 아파트의 대출금 원금 상환은커녕 다달이 내는 이자가 버거울 정도로 경기가 악화되어 아파트 산 걸 후회하며 부랴부랴 팔기로 했지만, 수개월 동안 집을 보러 오는 사람이 없을 정도로 부동산 경기는 침체의 늪에 빠져있었다.

시세보다 싸게, 가까스로 아파트를 처분하고 다시 전세 생활을 시작했다. 다달이 내야 하는 이자 부담에서 벗어난 홀가분함은 좁은 전셋집의 불편하고 옹색함을 상쇄했지만. 여전히 내 집에 대한 꿈은 남았다. 그렇지만 변변찮은 벌이는 생활비 충당에 급급하여 운 좋게 복권이라도 당첨되지 않는 한 내 돈으로 집을 장만하기엔 턱없이 부족했다.

나 같은 형편의 사람이 입주할만하다는 LH 임대아파트에 청약하여 몇 번 떨어진 뒤 마침내 우리 부부가 살기에 적당한 아파트에 입주하게 되었다.
까치 두 마리가 묵은 집을 수선하는 모습을 부럽게 바라보았던 그해 봄을 보내고 한참 지난 이듬해 10월에 이사하여 당분간 집 걱정을 덜게되어 다행이다.

냄새로 쫓는 추억

냄새로도 기억을 되살려서 옛날로 돌아갈 수 있다는 걸 알았다.

수술하고 나서 커피를 마시지 않은 지 3개월쯤 지나자 슬그머니 커피 생각이 났다.

즉석커피를 뜨거운 물에 타려고 봉지를 뜯자 은은한 커피 향내가 코끝에 매달렸다.

순간, 잊은 줄 알았던 아득한 세월의 어느 날이 불쑥 떠올랐다.

커피 냄새는 어린 시절에 어쩌다 맛보았던 미군의 전투 식량 C-ration 봉지를 뜯을 때 났던 냄새였다.

비스킷, 츄잉껌 따위와 함께 커피도 들어있었던 봉지의 색깔이 진한 녹색이었는지, 갈색이었는지 모호하면서도 냄새만은 분명 커피 향이었던 걸 알겠다. 그렇지 않고서야 즉석커피 봉지를 뜯는 순간 옛날이 떠오를 리 만무하잖은가?

커피 냄새로 되찾은 기억은 포기를 뽑은 뿌리에 딸려 나오는 땅콩처럼 아득한 옛날의 어느 날들이 송이송이 매달려 나온다.

원조품이라며 담임 선생이 나눠줬던 연필에서 나던 향나무 냄새는 노란색 자루 끝에 달린 지우개며, U.

S.A. 라고 찍힌 글자까지 선명하게 기억나게 하더니
옆자리에 앉았던 친구의 모습이며 낡은 책상 위의 칼
로 새긴 낙서와 삐걱거리는 걸상 소리까지 들리게 한
다.

내친김에 더 오래된 기억을 더듬는다.

요즘 아이들은 상상할 수도 없는 가루 치약을 사용
했던 때가 있었다.

비누를 사분(프랑스제 사봉 비누가 어원인 듯)이라
고 했던 시절이었으니 아주 오래전인듯하다.

상표가 사자표였던지 겉봉에 사자 그림이 그려져 있
던 가루 치약으로 이를 닦고 나면 은은한 페퍼민트
향이 오래도록 입 안에 남아 있었다. (그때는 그게
페퍼민트 향기인 줄 몰랐으며, 지금도 민트 향 따위
외래 향냄새는 정확한 이름을 대기가 어렵다.)

거품은 요즘 치약처럼 많이 나지 않았지만, 냄새만
큼은 지금도 입 안에 남은 듯 오래 남았던, 칫솔질을
하는 사이 감나무에서 후드득 감꽃이 떨어졌고, 거품
을 입가에 묻힌 채 올려본 감나무 가지 사이에 드러
난 하늘이 너무 파랬던 기억이 생생하다.

오래된 기억을 더듬다 보니 너무 멀리 와버린 걸 알
겠다.

온전하지 못한 옛날 어느 한때의 조각들은 하나하나가 서러움이고 회한이다.

언젠가는 그런 서러움과 회한으로 남을 오늘이 저물고 있다.

오늘만 가버리는 게 아니라, 한 해도 후딱 가는 것 같다.

뒷산 어귀 배밭의 배꽃도 다 져버린 4월도 벌써 하순이니 어느새 올해의 반의반도 더 가버렸다.

메꽃

보릿대를 감고 오른 넝쿨이 가지를 뻗었고 줄기마다 꽃들이 총총 매달려 있었다.

누가 일부러 심은 것도 아닌데 두렁 가까운 곳의 보릿대 여기저기 눈에 뜨이는 족족 연한 분홍빛 꽃들이 매달려 있는 모습은 제 무게를 감당 못 할 보릿대에게 부담을 주지 않으려 숨죽이고 있는 듯했다.

보릿대는 한창 익어가는 이삭의 무게로 실바람만 불어와도 가누지 못한 고개를 일제히 숙이곤 했으므로 제 몸을 친친 감고 있는 넝쿨이며 잎사귀와 줄기마다 대롱대롱 매달린 꽃의 무게가 부담되어 보였다.

화려하지는 않지만 은은한 색깔의 연분홍 꽃이 쉽게 이름이 떠오른 나팔꽃과 흡사하여 이름을 물었더니 친구는 별 게 아니라는 투로 메꽃이라고 대답했다.

점심 식사 후 외숙모는 부엌의 작은 솥이 걸린 아궁이에 불을 지펴 뭔가를 삶고 있었다.

들에 일하러 나가신 외할아버지나 머슴에게 새참을 챙겨줄 만큼 해가 긴 때가 아니었으므로 나물 같은 걸 삶는 모양이라고 생각했는데, 한참 후 외숙모가 들고 온 것은 처음 보는 것이었다.

새끼손가락보다 더 가늘고 그만한 길이의 누르스름한 것을 채반에 담아 온 외숙모는 내게 먹어 보라고 권했다.

생선 종류나 육식은 가리는 게 많았지만, 그런대로 채식은 잘 먹는 편이라 생각했는데, 처음 보는 음식이어서 선뜻 먹을 마음이 생기지 않아 주저하는 내게 외숙모가 직접 한 개를 집어주었다.

"만월터 보리밭에서 캔 것이다. 얼마나 무성한지 보리가 몸살 나지 않고 견딘 게 용하더라."

내가 받아 든 것을 보고만 있는 게 딱하다는 듯 외숙모가 다시 말했다.

"메꽃 뿌리다, 우리 친정 동네에서는, 가난해서 그랬는지, 이때쯤이면 메가 남아나지 않았는데, 이 동네 사람들은 달리 먹을 게 많아서 그러는지 메 같은 건 캐 먹을 생각도 하지 않더라. 먹어 봐라, 맛이 좋은 건 아니지만, 그런대로 먹을만할 거다."

나는 전날 보리밭에서 보았던 예쁜 분홍 꽃을 떠올리며 메 뿌리를 씹었지만, 도대체 무슨 맛인지, 맛의 근원을 알 수 없었다.

내가 먹은 것은 메꽃의 뿌리라기보다 땅속줄기라고 했고, 녹말이 많아 춘궁기에는 식량을 대신하기도 했으며, 한방에서는 신체가 허약하거나, 소변보기가 불편할 때, 고혈압 당뇨병 등에 복용하면 효과가 있고, 피로 해소제로도 효과가 있다는 것을 최근에 검색을 통해 알게 되었다.

수원지 영감

병정놀이하려면 칼이 있어야 했다. 연필 깎는 칼도 아니고 부엌칼도 아닌, 나무로 만든 칼인데. 각목은 위험해서 사용할 수 없었다.

우리가 즐겨 사용하고 인기 있는 나무칼은 아카시아 가지를 꺾어 만든 것이었으며, 그걸 구할 수 있는 가까운 곳은 수원지였다.

공설 운동장과 우리 학교 사이의 널찍한 숲속 중간에 있는, 우리가 한 번도 들어가 보지 못한 건물 안에 수돗물을 만드는 시설이 있다고 했는데, 우리는 그 숲 전체를 통틀어서 수원지라고 했다.

철조망으로 울타리를 친 수원지 숲속에는 여러 종류의 나무가 있었으며, 그중에는 우리가 눈독을 들인 아카시아가 군데군데 섞여 있었다.

아카시아 가지를 꺾으려면 관리인의 눈을 피해서 철조망 안쪽으로 몰래 숨어 들어가야 했는데, 혼자서는 엄두를 낼 수 없어서 서너 명이 작당해야 했다.

한 친구가 철조망을 발로 밟아 누르고, 다른 친구는 손으로 철조망을 들어 올려 사이를 더 넓히면, 수원지에서 일하는 사람, 우리가 수원지 영감이라고 부르는 사람이 나타나는지를 망보는 친구는 보는 사람이 없다고 신호를 보냈다.

제일 용감한듯하지만, 실은 수원지에 들어갈 사람을 뽑기 내기에 잘못 걸린 친구는 내키지 않으면서도 친구 앞인 만큼 기가 죽지 않은 표정으로 철조망 사이로 빠져 수원지 안으로 잽싸게 들어갔다. 몸을 구부려 자세를 낮춘 친구는 아카시아 나무 곁에 도달하자마자 까치발로 키를 키워 근처 나뭇가지를 낫으로 찍어 내렸다.

 먼저 자른 두 개의 나뭇가지를 철조망 너머로 집어던져주고 다시 다른 나무로 옮겨가던 친구의 앞에 불쑥 수원지 영감이라고 부르는 관리인이 나타났다.

 놀란 친구가 흠칫하는 사이, 영감은 재빨리 친구가 들고 있는 낫을 빼앗더니 이내 뒷덜미를 움켜쥐었다.

 순식간에 친구가 붙잡힌 것을 본 철조망 밖의 우리는 줄행랑을 쳐야 했다.

 수원지 영감은 손찌검은 하지 않는다고 했지만, 학교에 알린다거나 파출소로 넘기겠다는 엄포를 놓는 바람에 붙잡힌 친구는 제풀에 꿇어앉아 두 손바닥을 비비며 잘못을 용서 구하는 모습은 보지 않아도 알수 있었다.

 도망은 쳤지만, 우리는 수원지가 훤히 보이는 둑 위에 걸터앉아 붙잡힌 친구가 풀려나오길 기다렸다.

 강 건너 기찻길에 연기를 내뿜으며 상하행선 열차가 엇갈려 지나가고도 한참 지났지만, 친구가 풀려나지

않자 걱정되면서도 화가 난 우리는 화풀이 노래를 불
렀다.

 수원지 영감 대가리
 축구畜狗 대가리
 공이라고 찼더니
 아야 하더라

註 : 축구畜狗 :사람답지 못한 짓을 하는 사람을 낮잡아 이르는
      말. 차별 또는 비하의 의미가 포함되어 있을 수 있으므로
      이용에 주의가 필요합니다. (차별표현 바로 알기 캠페인)
      아카시아 : 흔히 말하는 우리가 알고 있는 아카시아는 북아
      메리카가 원산지인 아까시나무(Robinia pseudo-acacia)를
      가리키고 아카시아속의 식물이 아니다.
      아카시아는 상록수이며 오스트레일리아를 중심으로 열대와
      온대 지역에 약 500종이 분포한다 (네이버 백과사전에서,)

엮고나서

해거름녘이려니 했는데 어느새 주위가 어두워져 낚시찌가 잘 보이지 않습니다.

밑밥은커녕 변변찮고 보잘것없는 미끼 하나 달랑 매단 낚시를 넓은 세상에 던져놓고 미련스럽게 너무 오랜 세월을 허비했습니다.

오랜 세월 세상 풍파에 시달린 미끼는 빛이 바래고 흐물흐물하여 아무도 거들떠보지 않고 물지도 않을 것이어서 스스로 낚싯대를 거둬드리지 않고 그냥 두어도 상관없겠습니다.

대어를 낚아 올리다가 낚싯줄이 끊어지는 바람에 눈앞에서 놓치고 말았다며, 겨우 낚은 몇 마리 잔챙이가 숨을 헐떡이는 살림망을 꺼내 보이기 민망하여 수줍은 표정으로 변명처럼 허풍 떠는 낚시꾼의 몇 가닥 허연 머리카락이 바람에 날리는 모습이 외롭습니다.

입춘인 오늘 바람은, 봄을 재촉하는 바람이어서 훈훈합니다. 숱하게 계절을 보내고 맞았으면서도, 제대로 계절다운 계절을 느낀 적이 있었든지 기억이 가물가물한데, 지금 맞으려는 봄은 처음 맞는 봄처럼 괜히 마음을 들뜨게 하여 새삼스럽고 객쩍게 앞서 맞이하고 보냈던 계절을 헤집어냅니다.

그러나 기껏, 육십몇 년 전에 살았던 동네 근처 공설 운동장 가 돌계단 틈새를 비집고 올라온 민들레가 노란 꽃을 피웠다가 어느새 꽃대 끝 하얀 씨방이 한들거리던 모습 따위, 하찮은 기억은 어설픈 오늘 일상과 맞물려 가슴을 애틋하게 저미고 시리게 합니다.

 발이 시리면 동동거리고, 손이 시리면 입김을 불어 비비기라도 하지만, 가슴이 시리면 어떻게 녹이고 가라앉히나요?

 가슴 시린 옛이야기는 다시는 떠오르지 않을지 모른다는 조바심에, 어설프고 어쭙잖은 일상은 일상인 그대로 소중한 추억일 수도 있겠기에 글로 남겨두고 싶습니다.

 하찮은 어제의 기억들과 오늘의 어설픈 푸념을 모아 책으로 엮는 게 객기인지도 모르겠습니다만, 이미 세 번이나 어리석은 짓을 한 경험이 있어서 쑥스러움이 많이 가셨거니 합니다.

 그러나, 염치는 있어서 민망함을 숨길 수는 없습니다.

2024년 2월